BONJOUR SEIGNEUR!

À tous les jeunes
désirant trouver
sens à leur vie
dans la rencontre
du Dieu de Jésus Christ.

BONJOUR SEIGNEUR!
100 jeunes parlent à Dieu
Ouvrage collectif
réalisé par des jeunes de 12 à 20 ans du diocèse de Saint-Hyacinthe, Québec, sous la direction de Jean-Guy Roy.

Révision et montage
Pierre Dufresne

Maquette
Gilles Lépine

Couverture
Denis De Carufel

Distribution
NOVALIS, C.P. 700, Hull, Québec J8Z 1X2
(Comptoirs: 375, rue Rideau, Ottawa
et 8123, rue St-Denis, Montréal)

Dépôt légal
1er trimestre 1987
Bibliothèque nationale du Québec
Bibliothèque nationale du Canada

ISBN: 2-89088-293-4

Imprimé au Canada

NOVALIS

Bonjour Seigneur!

100 jeunes parlent à Dieu

L'Église
c'est vous.
Contribuez
à l'expression
de la foi
et de la prière,
avec votre sens poétique
et votre désir
d'engagement.

(Jean-Paul II, Rencontre avec les jeunes au Stade olympique, Montréal, 11 septembre 1984)

PRÉSENTATION

Bonjour Seigneur!

C'est la sélection de 100 créations de prières réalisées par des jeunes de 12-20 ans. Elles reflètent bien leurs angoisses, leurs inquiétudes, leurs questionnements mais aussi leurs espoirs.

Bonjour Seigneur!

C'est aussi l'expression de ce qui se passe au plus secret des cœurs des jeunes. Un cri d'espoir des jeunes vers Celui qui comprend au-delà des mots.

Bonjour Seigneur!

C'est simple et vrai, à l'image de ceux et celles qui l'ont écrit. C'est plus qu'un recueil de prières. C'est une rencontre avec la vie qui bat, qui grandit et qui espère en se tournant bien humblement vers son Créateur.

Bonjour Seigneur!

C'est tellement grand et simple à la fois.

Jean-Guy ROY

Jean-Guy Roy, s.c., est membre de l'Office de l'Éducation Chrétienne du Service de Pastorale-Jeunesse du diocèse de Saint-Hyacinthe. Il a coordonné ce projet qui, à l'origine, avait pour nom «Quand les jeunes prient...».

Pour toi,
quand tu pries,
retire-toi dans ta chambre,
ferme sur toi la porte,
et prie ton Père qui est là,
dans le secret.

(Jésus)

(Matthieu 6, 6)

CONFIDENCES

À toi qui parcourras ces pages,
seul/e ou avec d'autres,
dans la solitude
ou au hasard d'une rencontre,
ne sois pas étonné/e
si tu te reconnais dans ces lignes,
ne sois pas surpris/e
si tu vibres à certains passages,
surtout ne sois pas impressionné/e si tu te sens
si tu te sens compris/e.

Sache que ces mots ont été écrits
par des gars et des filles
qui, comme toi,
croient en l'amour,
en la vie,
en la vie de Dieu
déposée dans le cœur
de chacun et de chacune.

Tes amis/es

Maryse
Daniel

CHAPITRE I

SEIGNEUR, JE T'OUVRE MON CŒUR

ISABELLE SAUVE

LIGNE OUVERTE

Seigneur,
la prière est le plus grand moyen
de communication
entre toi et les hommes.

Parfois, nous t'appelons,
mais nous croyons
que la ligne est occupée,
car nous ne recevons pas de réponse.

Fais-nous comprendre que ton Esprit Saint
est l'«OPÉRATRICE» de ton royaume,
et qu'il faut faire plusieurs appels
pour que tu interviennes en notre faveur.

Si je te priais aussi souvent
que je téléphone à un copain
ou à une copine
tu serais sûrement un ami pour moi.

Seigneur,
aide-moi à ne pas oublier volontairement
ton numéro de téléphone,
qui est la prière, l'Eucharistie
et les sacrements.

Fais que je prenne le temps
de t'appeler
pour prendre de tes nouvelles.

Bonjour! Amen!

Robert (16 ans)

Paroles de Dieu

JE T'INVITE AU BONHEUR

Heureux ceux qui ont une âme de pauvre,
car le Royaume des Cieux est à eux.

Heureux les doux,
car ils posséderont la terre.

Heureux les affligés,
car ils seront consolés.

Heureux les affamés et assoiffés de la justice,
car ils seront rassasiés.

Heureux les miséricordieux,
car ils obtiendront miséricorde.

Heureux les cœurs purs,
car ils verront Dieu.

Heureux les artisans de paix,
car ils seront appelés fils de Dieu.

Heureux les persécutés pour la justice,
car le Royaume des Cieux est à eux.

(Matthieu 5, 3-10)

TU ES VENU

SEIGNEUR,

Tu es venu,

Et tu m'as enveloppée de ton regard bienveillant.
Tu m'as tendu la main,
Et ensemble, nous avons marché.

Tu es venu,

Et j'ai préféré courir après mon destin.
Ma folie m'a fait trébucher,
Mais tu étais là pour me relever.

Tu es venu,

Et j'étais lasse, triste, esseulée.
Mais ta tendresse m'a réconfortée
Et tu m'as réappris le bonheur.

Oui, tu es venu,

Et tu reviendras,
Tu reviens déjà.
Tu es là, tout près de moi, pour moi.

Merci de ta présence.

Amen.

Nathalie (12 ans)

GRÂCE À MA FOI, J'AI CONFIANCE EN TOI

Comme il me fait plaisir
de m'adresser à toi, aujourd'hui, Seigneur!
Tu es si facile d'accès, si disponible,
qu'il m'est impossible de te parler
avec d'autres mots que ceux qu'on utilise
pour s'entretenir avec un ami, un confident.

Il est ardu de comprendre
que tu portes à chacun de nous,
la même attention désintéressée;
que chaque être sur cette terre
peut bénéficier de ta protection, de ton amour.

Mais ma foi, Seigneur,
me fait voir au-delà de ce mystère
et j'ai confiance en toi.

Cette foi est pour moi un bien très précieux.
C'est l'outil spirituel
qui me conduit pas à pas vers ton royaume.

Là encore, Seigneur,
le doute s'insinue dans mon esprit;
j'ai grand'peine à imaginer un monde
sans haine, sans classes sociales,
sans guerres et sans argent.
Cela me semble irréalisable.

Mais ma foi, Seigneur,
me fait voir au-delà de ce mystère
et j'ai confiance en toi.

La route qui mène à toi est semée d'embûches
et parfois, elle me semble infranchissable.
C'est dans ces moments
que je sens une force puissante monter en moi.
Elle me donne un regain d'énergie
et un goût de vivre
qui me surprennent parfois.
Cela me prouve
qu'il est profitable de me confier à toi.
Je ne sais comment tu t'y prends
pour réconforter avec autant d'efficacité.

Mais ma foi, Seigneur,
me fait voir au-delà de ce mystère
et j'ai confiance en toi.

Je pense que c'est aussi ma foi
qui m'a permis de te parler ainsi,
d'ami à ami.

Merci, Seigneur.

Nathalie (15 ans)

RECONNAISSONS QUE TU ES MORT POUR NOUS

Grâce à ta tendre Mère, Marie,
Qui à un ange a répondu oui,
Par une nuit froide, tu es venu parmi nous.
Tu étais un simple enfant devant qui on se met
à genoux.

Tu as grandi comme tous les autres enfants;
Tu riais, tu t'amusais, et pourtant
Tu savais que ta vie avait un but précis:
Celui de mourir et ressusciter aussi.

Sans crainte, tu as obéi à Dieu.
Pendant les moments de faiblesse, c'est vers lui
que tu levais les yeux.
Ta vie se résumait à guérir et à évangéliser.
Tu n'hésitais pas à rejoindre les gens les moins
bien considérés.

Tout comme le médecin soignant les souffrants,
Toi, tu guérissais les gens qui n'avaient plus la foi.
Ta joie, ta tendresse, ta compréhension, de ton
vivant
Tu les as utilisées pour nous, plus d'une fois.

Puis, tu as été victime d'une trahison. Pourquoi?
Pour de l'argent et des remords.
Sans te croire et sans honte, ils t'ont fait porter
la croix.
Et toi, fidèle à ton Père, tu as accepté la mort.

Maintenant que tu es ressuscité,
Que tu continues de nous aimer,
Nous en venons à t'oublier.
Comme tu dois donc pleurer!

Cependant, certaines gens admirent ta bonté,
Tu nous as fait cadeau de tant de choses:
La joie, la vie, l'amour, les roses,
De ces bienfaits, nous pouvons tous profiter.

Je te dis merci, pour tout cela.
Je te demande de me secourir ici-bas.
Aide-moi à porter ma croix
Et envoie l'Esprit sur moi.

Pascale (16 ans)

SYMPHONIE
DES VISAGES DE DIEU

DIEU,
Sombre regard,
Front ridé,
Visage d'un vieillard,
Martyr des années.

DIEU,
Cheveux indisciplinés,
Yeux éclatants,
Rire de gaieté,
Visage d'enfants.

DIEU,
Lointain regard,
Traits incertains,
Visage du hasard,
D'inconnu sur mon chemin.

DIEU,
Ardents regards,
Sur les lèvres un doux refrain,
Au cœur, un même espoir,
Visages de copains.

DIEU,
Cris effrayés,
Gens démunis,
Pleurs sans bonté,
Sous un ciel gris.

Dieu, aux multiples allures,
aide-nous aujourd'hui.

Nathalie (16 ans) et Édith (15 ans)

DIEU EST SI BON

DIEU EST SI BON,
Qu'il pardonne tous nos péchés.
Le cœur de Dieu est si bon,
Qu'il nous respecte pour l'éternité.
L'Amour de Dieu est si bon,
Que nous y découvrons toute sa charité.

DIEU EST SI GRAND,
Qu'il règne sur tous ses enfants quels qu'ils soient.
Le cœur de Dieu est si grand,
Que nous pouvons y entrer tous à la fois.
L'Amour de Dieu est si grand,
Qu'il s'étend sur tous les pays: c'est sa loi.

DIEU EST SI DOUX,
Que nous le représentons même sous les
traits d'un agneau.
Le cœur de Dieu est si doux,
Qu'il calme le moindre sanglot.
L'Amour de Dieu est si doux,
Qu'il fait des méchants des hommes nouveaux.

DIEU EST SI REMARQUABLE,
Qu'il accepte ma simplicité.
Lui qui est né dans une étable,
Symbolisant ainsi la pauvreté.

Philippe (13 ans)

Josée Dulude

UN SEUL CHEMIN

SEIGNEUR JÉSUS,
Tu as marché sur nos routes humaines,
Tu as nourri les foules affamées,
Tu as été sensible
À toutes nos misères.
Nous te remercions
De nous avoir montré
Le chemin de la lumière
Et de l'amour.

Entraînés par ton exemple
Et forts de ta parole,
Nous voulons suivre ton chemin,
Marcher à ta suite
En faisant le bien.

Nous te demandons de nous envoyer ton Esprit,
Afin qu'il nous guide
Vers nos frères et sœurs
De tous pays.
Et surtout,
Aide-nous à réaliser le projet de ton Père,
CELUI DE L'AMOUR.

Amen.

Isabelle (15 ans)

lisa

CONFIDENCES

Un soir que le ciel
était parsemé d'étoiles,
j'étais vraiment très seule,
presqu'au désespoir.

Je me suis mise alors
au pied de mon lit.
J'ai commencé à prier,
à lancer mon cri du cœur.

Je demandais:
«Mon Dieu, pourquoi?»
Et, pour la première fois,
j'avais l'impression qu'il était là.

Je me demandais
si vraiment il était en moi.

Je le crois, je le crois.

Après lui avoir confié
tout ce qui m'habitait,
je me suis sentie soulagée,
en paix avec moi-même
et avec le monde entier.

Tout était clair,
puisque je lui avais livré
tous mes secrets.

Pour moi, Dieu est
ce que j'ai de plus précieux.
GLOIRE À TOI, SEIGNEUR.

Stéphanie (13 ans)

Paroles de Dieu

JE T'APPELLE PAR TON NOM

Va dans le pays que je te montrerai.
(Genèse 12, 1)

Je t'ai appelé par ton nom;
je t'ai qualifié sans que tu me connaisses.
(Isaïe 45, 4)

Le Seigneur appela Samuel,
il répondit: «Me voici.
Parle Seigneur, ton serviteur écoute.»
(Samuel 3, 4-10)

Heureux celui que tu as appelé
pour le faire habiter dans tes parvis.
(Psaume 64, 5)

Je fais de toi un prophète pour les nations.
Ne dis pas: je suis trop jeune.
(Isaïe 1, 4-6)

Lève-toi, défends ta cause.
(Psaume 73, 18-23)

Maintenant donc,
améliorez vos vies et vos œuvres,
soyez attentifs à l'appel de Yahvé,
votre Dieu.

(Jérémie 26, 13)

Je ne suis pas venu appeler des justes,
mais des pécheurs.
(Marc 2, 17)

Mettez-vous à mon école,
car je suis doux et humble de cœur,
et vous trouverez le repos de vos âmes.
(Matthieu 11, 29)

Une seule chose te manque encore:
tout ce que tu as, vends-le,
distribue-le aux pauvres
et tu auras un trésor dans les cieux.
Puis viens et suis-moi.
(Luc 18, 22-25)

Venez à ma suite
et je ferai de vous des pêcheurs d'hommes.
(Matthieu 1, 17)

Personne ne peut servir deux maîtres.
Où il haïra l'un et aimera l'autre;
ou il s'attachera à l'un
et ne fera pas de cas de l'autre.
(Luc 16, 13-14)

Si quelqu'un veut venir à ma suite,
qu'il se renie lui-même,
se charge de sa croix chaque jour
et qu'il me suive.
(Luc 9, 23-24)

NATALI

À MON AMI

Depuis que je suis née,
tu es là près de moi, toujours attentionné.
Ils m'ont dit que c'était pour la vie
que nous étions unis.

Matins et soirs,
je te faisais part de chacune de mes idées.
Mon plus grand désir était de te voir,
de te voir pour t'aimer davantage.

Mais un jour, tu t'es montré plus distant,
tu n'étais plus comme avant.
Alors, je me suis interrogée
et j'ai demandé...

Mais, qui est «cet ami»,
Celui qui m'aime tout en se cachant?
Où est-il dans ma vie?
Qui est-il parmi tous ces gens?

Mais voilà que j'ai compris
et c'est pour la vie.
J'espère qu'un jour
je pourrai te retrouver
et t'offrir l'amitié
qu'un jour, je t'ai refusée.

MAINTENANT, JE T'ATTENDS.

Louise (16 ans)

TOUJOURS, TU ES LÀ

Toujours, tu es là!
En te rencontrant sur mon chemin,
Au lever du matin,
À chaque instant, je te sens en moi.

Dans toutes mes amitiés,
À travers chacune de mes journées,
Tu me combles le cœur,
En me donnant du bonheur.

Dans la douceur de la nuit
Qui efface tous mes soucis,
En moi, tu ne dors pas,
Car toujours, tu es là.

À chaque instant, je crois en toi,
Car je sais que tu es toujours là.

Katy (12 ans)

JE T'AIME SEIGNEUR

Seigneur,
Je veux rester un moment seule avec toi,
J'ai besoin de prendre le temps
D'écouter ta parole,
Mais j'ai surtout besoin
De te confier mon amour pour toi.

J'ai contemplé la nature un jour,
Et j'ai vu que dans chaque être,
Chaque fleur, chaque particule,
Il y avait un éclat de vie que reflétait la lumière,
Et cette lumière, c'était celle de ton cœur.

On admire ce qui est beau et grand,
On est heureux quand tout va bien,
Mais bien souvent,
On ne te remercie pas suffisamment,
Pour ce que tu fais pour nous.
On ne pense pas que remercier
Ça veut dire beaucoup.
Et je te dis merci, Seigneur.
Même si j'ai des moments pénibles à passer,
Je te dis merci d'être près de moi.
Merci pour chaque jour de ma vie.

Tu nous combles de joie,
De paix et de bonheur,
Tu nous confies des témoignages d'amour,
Tu nous conduis sur des droits chemins,
Et même si bien des fois
La route est longue et remplie d'obstacles,
Tu nous aides à la traverser sans crainte.

Ton regard est puissant
Et tes yeux en disent long.
Tu nous appelles à ton Projet de vie,
Tu nous invites à le partager avec toi.
Et pourquoi pas?

Seigneur,
tu es ma joie de vivre,
tu es mon guide
pour chaque route que je prends,
tu es ma force
tu es ma lumière.

Et je te remets ma vie Seigneur,
je m'abandonne à ton Amour...

Michelle (21 ans)

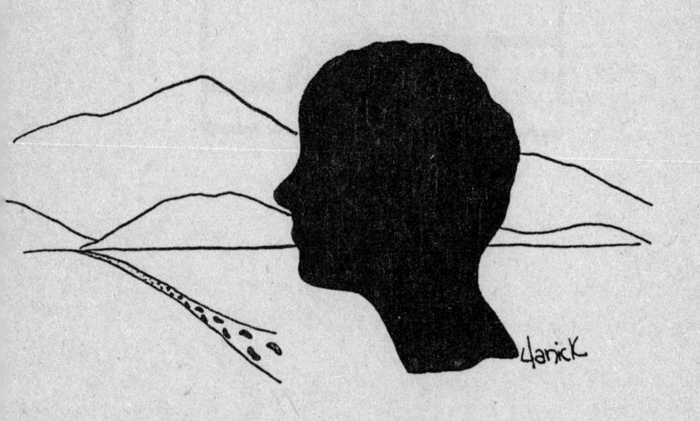

MERCI POUR TOUT CE QUE TU ME DONNES

Seigneur,
je t'apprécie beaucoup
pour tout ce que tu as créé:
les arbres d'automne
dont les feuilles deviennent multicolores;
ces arbres qui nous donnent le papier fragile
et des meubles robustes.

Merci pour les fleurs merveilleuses
qui embaument l'air,
ainsi que pour toutes les beautés de la nature.

Seigneur,
merci pour les amis que tu places sur ma route,
merci pour tout ce que tu me donnes,
merci pour ton amour.

Seigneur,
aide-moi à aimer
les personnes qui me sont indifférentes,
celles qui me font du chagrin.
Aide-moi à pardonner
à tous ceux qui me causent du tort.

Amen.

Josée (12 ans)

MERCI, SEIGNEUR

Merci, Seigneur,
de faire de moi une jeune fille
aimant la vie.

Merci, Seigneur,
de la lumière
que tu nous donnes chaque jour.

Merci, Seigneur,
de m'avoir donné
le goût d'aimer et de partager avec les autres.

Merci, Seigneur,
d'avoir donné
ta vie pour la mienne
et celle de mes frères et sœurs.

Merci, Seigneur.
On oublie trop souvent de remercier,
de te remercier ou de remercier un ami.
Pourtant, un merci est toujours tant apprécié.

De ma part et de celle
de tous les jeunes du monde,
Merci, Seigneur.

Tu nous as enseigné la paix,
mais trop souvent
se produisent des actes de violence;
tu nous as enseigné l'amour,
mais trop souvent, il y a la haine.

Fais de nous des enfants de paix et d'amour.

Valérie (16 ans)

TU ES L'AMI DE TOUS

Seigneur, comme tu es bon!
Tu aimes chacun, sans exception.
Tu aimes les bons et les moins bons.
Tu es l'ami de tous.

Seigneur, tu es l'ami des jeunes.
Même si plusieurs
ne vont pas te rencontrer très souvent,
tu gardes l'espoir qu'un jour, ils seront là.
Tu es l'ami de tous.

Seigneur, tu aimes même
les gens au cœur de pierre.
Tu essaies de rendre leur cœur juste,
malgré le mal qu'ils commettent.
Tu gardes une place près de toi
pour toutes les brebis.
Comme tu es miséricordieux, Seigneur.
Tu es l'ami de tous.

Tu aimes aussi ceux qui se sont tournés
vers une autre religion.
Tu es l'ami de tous.

Mais quel dommage, Seigneur,
que plusieurs ne se tournent vers toi,
que dans les moments les plus difficiles.
Il faut aussi te remercier
pour la moindre joie, le moindre sourire.

C'EST CELA ÊTRE TON AMI(E), SEIGNEUR.
Amen.

Louisette (16 ans)

QUE TON ESPRIT HABITE EN MOI

Seigneur Jésus,
je te prie
pour qu'à la lumière
de ton Esprit Saint,
je puisse
mieux écouter ta Parole,
mieux te servir,
mieux vivre en enfant de Dieu.

Fais que je participe,
avec une foi plus grande,
au sacrement de ton Pardon
et à ton Eucharistie.

Tout au long de ma vie,
je veux compter
sur la lumière de l'Esprit,
pour vivre selon ta loi d'amour,
cette loi qui me conduira vers toi.

Demeure en moi, Seigneur,
et que ton Esprit habite en mon cœur.

Amen.

Sophie (13 ans)

JE TE REMERCIE, SEIGNEUR

Je prends ces quelques instants de silence
pour te remercier, Seigneur.
Je voudrais te faire partager
ce que je ressens dans mon cœur:
mes joies, comme mes peines,
elles te sont toutes destinées.

Je te rends grâce
pour tout ce que tu as fait pour moi.
Lorsque j'avais besoin de me confier,
tu étais toujours présent pour m'écouter.
Lorsque j'avais besoin d'un conseil,
à ta manière à toi, tu me répondais.

Tu me donnes tant.
Tu fais grandir ma foi de jour en jour.
C'est toi qui m'enseignes à partager,
à être charitable envers tous.
Je m'y engage à la suite de ton Fils
qui est venu dans notre monde
et qui s'est sacrifié pour nous.

Pour tout le bonheur dont tu me combles,
je te remercie aujourd'hui
et ce, du plus profond de mon cœur.

MERCI SEIGNEUR.

Nathalie (15 ans)

SI GRAND

Seigneur, je suis petit.
Donne-moi la foi en toi.
Tu es si puissant et si grand,
Que je ne pourrais vivre
Sans toi.

Saverio (13 ans)

LES MERVEILLES

Merci
Jésus, pour le soleil qui nous réchauffe,
pour la pluie qui hydrate nos terres,
pour les nuages qui nous cachent
du soleil parfois trop fort,
les montagnes,
les vallées qui offrent un relief superbe,
les arbres qui nous donnent de bons fruits.

Merci
pour les terres fertiles
qui nous donnent les légumes,
pour la nourriture abondante,
la lune qui nous éclaire la nuit,
le climat tempéré
qui nous fait connaître
quatre merveilleuses saisons,
les lacs,
les rivières qui sont encore potables,
les animaux qui mettent de la joie dans nos cœurs,
les prés,
les champs qui ajoutent du romantisme
à nos soirées d'été,
les forêts qui servent d'abri
aux animaux sauvages,
les étoiles qui embellissent le ciel,
les récoltes qui sont profitables.

Merci
pour la liberté que nous offre notre pays.

Rends la paix
au monde entier;
ouvre nos cœurs
à ton appel.

Amen.

Anick (14 ans)

Paroles de Dieu

RESTEZ ET VEILLEZ AVEC MOI

Demeurez ici et veillez avec moi.
(Matthieu 26, 38)

Pour toi, quand tu pries,
retire-toi dans ta chambre,
ferme sur toi la porte
et prie ton Père qui est là dans le secret;
et ton Père qui voit dans le secret
te le rendra.
(Matthieu 6, 6-9)

Veillez et priez
afin de ne pas tomber
au pouvoir de la tentation:
l'esprit est plein d'ardeur,
mais la chair est faible.
(Matthieu 26, 41)

Dans vos prières,
ne rabâchez pas comme les païens,
ils s'imaginent qu'en parlant beaucoup,
ils se feront écouter.
N'allez pas faire comme eux,
car votre Père céleste
sait bien ce qu'il vous faut,
avant que vous le lui demandiez.
(Matthieu 6, 7-8)

Demandez et il vous sera donné.
Cherchez et vous trouverez.
Frappez et il vous sera ouvert...
(Matthieu 7, 7-8)

Quand vous priez, dites:
«Père,
fais-toi reconnaître comme Dieu,
fais venir ton règne,
donne-nous le pain dont nous avons besoin,
besoin chaque jour.
Pardonne-nous nos péchés,
car nous-mêmes nous pardonnons
à tous ceux qui ont des torts envers nous.
Et ne nous expose pas à la tentation.»
(Luc 11, 2-4)

AIDE-MOI, Ô DIEU

Alléluia, Jésus.
Tu es digne d'adoration, Seigneur.
À toi seul la louange.
Plein de sagesse,
chaque jour, tu me diriges vers toi.

Oui, tu es mon roi de gloire.

Avec patience, tu me pardonnes
mes iniquités et mes péchés.
Tu es un rayon de soleil
dans ma vie de chaque jour.
Tu remplis mon cœur
de ta paix et de ta joie.

Ton Saint-Esprit qui travaille en moi,
est comme une source d'eau vive
jaillissant d'un rocher.
À cause de ta grandeur,
tous les problèmes que nous rencontrons
nous paraissent moins insurmontables.

Tu nous combles de ton amour divin.
Tu es pour nous un Père,
et nous sommes tes enfants.

Permets que ta parole
touche les cœurs qui ont soif de toi
et, envoie des missionnaires
répandre l'évangile dans le monde.

Donne-nous la force de témoigner de toi,
à ceux qui sont ignorants.
Donne-nous aussi l'ardeur
d'annoncer ta Parole à nos amis.

Jésus, j'attends ton retour.
Viens, Seigneur Jésus.
En attendant, je proclame ton nom.
Jésus, tu es mon libérateur,
mon consolateur, mon protecteur.

Tu es vraiment tout pour moi.

Amen.

Martin (13 ans)

MERCI

Merci,
mon Dieu
pour les belles journées,
le bon temps passé
en compagnie de gens que j'aime.

Merci
de m'écouter,
lorsque je me confie à toi,
chaque fois que j'ai besoin de toi.

Merci
de m'aider à comprendre,
à raisonner quand il en est temps.

Ce qui est bien avec toi,
c'est que tu es toujours là.

Tu me rassures,
tu me donnes confiance, assurance,
affection et amour.

MERCI.

Lise (13 ans)

UN IMMENSE MERCI

Merci, Seigneur,
pour la santé que tu m'as donnée,
pour mes oreilles qui entendent
le chant des oiseaux de ta création,
pour mes yeux
qui voient les beautés de ta nature.

Je te remercie, Seigneur,
de m'avoir donné des parents
qui m'aiment beaucoup,
qui savent m'éduquer.

Merci
pour toutes les faveurs que je t'ai demandées;
même si elles ne me sont pas toujours accordées,
je sais que tu fais le bon choix.

Merci, Seigneur, par-dessus tout,
pour ce merveilleux cadeau qu'est la vie.

Luc (15 ans)

MERCI POUR TOUT

Toi qui es aimant,
toi qui es puissant,
toi, notre Dieu, resplendis sur nous chaque jour...

Ah! cette chance, nous l'avons...
Ah! cet honneur, nous l'avons...
d'avoir le droit de vivre,
le droit d'être libre...

Toi, qui es le chemin du bonheur,
toi, qui es la clé de nos cœurs,
toi, notre dieu,
tu aimes nous rendre heureux...

Ah! cette confiance, nous l'avons...
Ah! cette joie, nous l'avons...
d'avoir le droit de te louer,
le droit de t'aimer...

Toi qui pardonnes nos péchés,
toi qui nous indiques le chemin où aller,
toi, notre Dieu
et notre Sauveur...

Aujourd'hui, je l'affirme avec tout mon cœur:

MERCI POUR TOUT.

Marie-Claude (14 ans)

NOTRE SAINT-PÈRE

Seigneur, je vais te parler de notre Saint-Père.
Il est parmi nous le Pape notre grand frère.
Se déplacer, il en est capable et tout cela pour
notre bien.
Nous le savons tous, comme toi, il nous aime bien.

S'il n'en dépendait que de lui seul,
La terre ne serait plus jamais en deuil;
Car même dans ses moments tristes,
Sa personnalité demeure consolatrice.

Il porte dans sa prière des gens heureux,
Et ouvre tout grand son cœur aux malheureux.

Si tout le monde était comme lui,
Notre planète serait vraiment sans soucis
Car sa personne toute rayonnante
Guiderait une terre toujours gagnante.

Seigneur, ce que je souhaite aujourd'hui,
C'est que mes amis et moi devenions comme lui.

Louise (12 ans)

TOI MARIE, LA MÈRE DE TOUS

Loué sois-tu
Marie,
pour la bonté
que tu témoignes
aux gens de notre terre.

Tu entends tous nos appels
et toutes nos demandes.
Tu es toujours prête
à nous venir en aide.

Secours ceux qui sont dans le besoin.
Sois remerciée
pour l'amour et l'attention
que tu portes aux pauvres
et aux plus petits d'entre nous.

Toi qui es
la **Mère de Jésus,**
Fais-nous comprendre
que tu es aussi
notre Mère.

Ô Marie,
femme si pure et si belle,
nous te remercions
pour toutes les joies quotidiennes
que tu nous procures.

Amen.

Marie-Josée (12 ans)

MERCI DE T'AVOIR RENCONTRÉ

Seigneur, je te rends grâce
pour t'avoir rencontré.
Depuis, je me sens plus en sécurité
car je sais maintenant que tu es toujours là,
que tu y es vraiment pour nous protéger
et pour nous aider devant les obstacles
que nous rencontrons dans la vie.

Merci Seigneur
de ta bonté si grande
et de ton amour infini.

Grâce à toi,
je peux reprendre confiance et courage
face à la vie et à ses imprévus.

André (14 ans)

ADAS '86

CHAPITRE II

SEIGNEUR, J'AI TANT BESOIN D'AMOUR

BIBIT

AMITIÉ

Il est important pour chacun(e)
d'avoir un(e) ami(e)
une personne à qui l'on peut
faire confiance,
partager des secrets,
de l'amour,
de la gaieté.

Il est bon d'avoir quelqu'un(e)
avec qui rire, pleurer;
quelqu'un(e) qui peut aussi
se faire rassurant(e)

Un(e) ami(e), c'est pour la vie.

**Mon Dieu, merci pour tous(tes) les ami(e)s
que tu m'as permis de connaître.**

Fais en sorte que
mon cœur
s'ouvre à chacun(e)
pour que tous et toutes reçoivent
de mon amitié.

Je demande également la paix
dans le monde et en moi-même...

Amen.

Patricia (13 ans)

L'AMITIÉ...

Seigneur,
Je rencontre des personnes,
Je connais des personnes,
J'aime des personnes.

Aide-moi à apprécier
La richesse de chacune,
La vérité de chacune.

Aide-moi à accepter
Les défauts de mon prochain
À découvrir
Les mystères qui l'habitent.

Toi, qui es le symbole de l'amour
Et de l'amitié,

Apprends-moi
À être comme toi,
Un semeur de paix et de joie,
Tout autour de moi.

Apprends-moi à comprendre les autres,
Aussi bien que toi...

Cette prière s'adresse à toi, Seigneur,
Toi qui es
Mon plus grand roi...

Marie-Claude (13 ans)

TU M'ÉCLAIRES

Seigneur Dieu,
quand je suis dans la noirceur,
Tu m'éclaires
et me fais voir la vie.

Seigneur,
tu me donnes le goût de vivre.

Sylvain (13 ans)

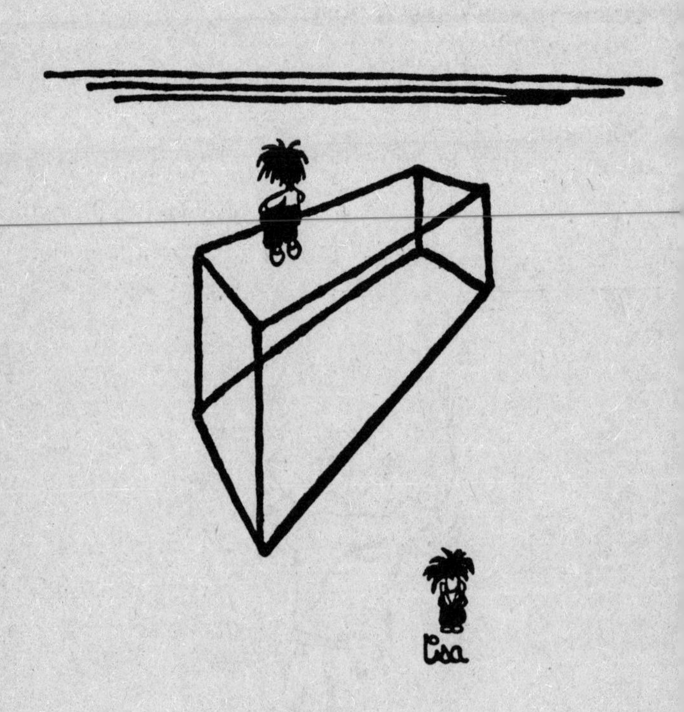
Lisa

UN AMI, C'EST IMPORTANT

Je crois Seigneur,
qu'un ami, c'est important.

Un ami est présent en tout temps.

Quand je suis attristé,
il est là pour me consoler.

Quand j'ai un problème qui me pèse,
il est là pour m'écouter.

Quand j'ai froid et que je suis affamé,
il est là pour me donner l'hospitalité.

Quand je suis faible et blessé,
il est là pour me soigner.

Seigneur, je te remercie,
d'être mon ami.

À toi, je confie mes peines,
à toi, je raconte mes ennuis.

Si tous les enfants de la terre
se donnaient la main,
il n'y aurait plus de mensonges, plus de chagrin.

Si tous les enfants de la terre devenaient amis,
il n'y aurait plus de guerre, plus de soucis.

Le plus beau cadeau
que je puisse faire à l'humanité,
c'est de lui donner mon amitié.

Seigneur, aide-moi à la partager.

Martin (12 ans)

SEIGNEUR, TU ES UN VRAI AMI

Il n'y a rien de plus réconfortant,
Que le sourire d'un ami,
D'un ami sincère.
Un sourire qui vient du fond du cœur,
Que Dieu envoie avec amour.

Mon Dieu, je te remercie
Pour tous les sourires que tu m'envoies
Comme autant de rayons de soleil
Que m'offrent mes amis.
Ils me font chaud au cœur.
Ils m'aident à voir les bons côtés de la vie.

Je te remercie aussi
De me donner de bons amis,
Des amis avec qui me divertir
Ou à qui me confier.
Chaque jour, je vis dans l'amitié,
Parfois même sans m'en rendre compte,
Et sans t'en remercier.

Mais aujourd'hui, je tiens à le faire sincèrement.
Oui, avec amour, je te remercie.
Et je tiens à le faire
Pour tous ceux qui oublient.

Avoir des amis, pour moi, c'est une des choses
Les plus importantes de la vie.
L'amitié, si ça pouvait toujours durer...
L'amitié est la meilleure source de vie.

MERCI, MON DIEU.

Anne-Marie (13 ans)

Annie Piloquin.

Paroles de Dieu

JE T'AIME DEPUIS TOUJOURS

Je t'aime d'un amour d'éternité,
aussi c'est par fidélité
que je t'attire à moi.
(Jérémie 31, 3)

Je les aimerai avec générosité.
(Osée 14, 5)

Le Seigneur m'a sauvé car il m'aime.
(Psaume 17, 20)

Comme mon Père m'a aimé,
ainsi vous ai-je aimé moi-même.
Demeurez en mon amour.
(Jean 15, 9)

Parce que tu comptes beaucoup
à mes yeux,
que tu as du prix et que moi, je t'aime...
ne crains pas, je suis avec toi.
(Isaïe 43, 4-5)

Je vous appelle amis,
parce que tout ce que j'ai entendu
auprès de mon Père,
je vous l'ai fait connaître.
(Jean 15, 14)

Mes brebis écoutent ma voix:
je les connais et elles me suivent.
Je leur donne la vie éternelle.
(Jean 10, 13)

Si quelqu'un m'aime,
il gardera ma parole
et mon père l'aimera.
(Jean 14, 23)

Dieu a tant aimé le monde
qu'il a donné son Fils unique.
(Jean 3, 16)

Mon commandement à moi,
c'est de vous aimer les uns les autres
comme je vous ai aimés.
(Jean 15, 12)

Jésus le regarda et l'aima.
(Marc 10, 21)

Vous serez mes amis,
si vous faites ce que je vous commande.
(Jean 15, 14)

SEIGNEUR, TOI MON AMI...

Seigneur, je me sens parfois si seule et si triste.
Dans ces moments,
toi seul es toujours avec moi.
Toi seul comprends mes façons d'agir et de penser.
Toi seul es assez grand
pour m'accepter telle que je suis.
Toi seul peux m'aider à me sentir totalement bien.
Tu es ce dont j'ai besoin.

Mais, j'ai aussi besoin d'autres amis,
qui, comme toi, verront en moi
celle que je suis;
qui comprendront que, pour moi,
un ami c'est pour la vie;
qui ne penseront pas à moi,
seulement dans le besoin;
qui auront la force de marcher avec moi,
jour après jour.

Je sais que tu es occupé, mais j'ai confiance.
Je sais que tu m'écoutes jour et nuit.
Je sais que tu répondras à ma prière.
Vais-je comprendre ton signe?

Seigneur, ouvre-moi les yeux,
Permets-moi de voir tes merveilles
avec un cœur plus ouvert,
Dans la joie comme dans la peine.

Amen.

Hélène (16 ans)

OUVRONS NOS CŒURS

Ouvrons nos cœurs aux pauvres.
Partageons bien simplement
notre pain quotidien.

Seigneur, toi l'ami des petits,
fais que je porte
l'amour aux autres.

Martine (13 ans)

ISABELLE
SAUVE

UN JOUR, MON DIEU, PEUT-ÊTRE DEMAIN...

Un jour, mon Dieu, peut-être demain,
La fraternité régnera sur terre.

Un jour, mon Dieu, peut-être demain,
Il n'y aura plus de guerre.

Un monde de paix,
C'est très beau, mais...
On aura de la difficulté à y arriver.

Il faudra s'entraider, s'entr'aimer,
Et le monde entier devra participer.

Les cultures et les religions
Ont toutes racine commune:
C'est toi, mon Dieu, qui es si bon.
Toi qui as créé soleil, terre et lune.

Un jour, mon Dieu, peut-être demain,
Les hommes vivront ensemble,
Si tous ceux qui s'aiment
Se rassemblent.

Benoit (12 ans)

Annie Péloquin.

J'OUVRE MON CŒUR

Eh toi, qui es là-haut,
Penses-tu vraiment à moi?
Tu sais, parfois
Je me sens très seul.

Est-ce que tu existes vraiment, toi, là-haut?

J'aimerais que tu m'envoies un petit signe de vie.

J'entends beaucoup parler de toi,
Mais je ne te vois pas.
Même si j'essaie de t'imaginer,
Je n'y arrive pas.

Est-ce que tu existes vraiment, toi, là-haut?

Tu sais, je n'ai pas beaucoup d'ami(e)s.
Au fond, j'en ai peut-être un, un vrai
À qui je peux faire confiance
Et dévoiler tous mes secrets.

Et, si c'était toi, là-haut?

Mais, je ne te sens pas près de moi.
Pourtant, je t'aime
Et toi, m'aimes-tu?
M'entends-tu?

Denis (15 ans)

SEIGNEUR, TU ME CHOISIS

Seigneur, je suis là.
Je me tiens là devant toi.

Je ne t'ai jamais rien donné d'extraordinaire
et toi, Seigneur, tu me choisis, moi.

Tu m'as choisie, tu m'as aimée.
Je n'étais pas encore en ce monde
que tu débordais d'amour pour moi,
pour moi, Seigneur.

Ton amour m'envahit,
ton océan d'amour.

Toi, Seigneur, tu me chéris tellement, moi.

Tu m'as choisie et je veux te répondre.
Je t'aime Seigneur, je t'aime tellement.
Donne-moi ton souffle d'amour.
Donne-moi ton Esprit, l'Esprit de Pentecôte,
pour que dans mon cheminement,
j'aille encore plus loin,
plus loin dans ma relation avec toi.

Merci, Seigneur, mon ami.

Sophie (16 ans)

BIBIT

MERCI D'ÊTRE AU CŒUR DE MA VIE

Seigneur,
merci pour ces élans de passion
qui me poussent vers toi,
le vrai Chemin,
le Sauveur,
l'Amour...

Seigneur,
merci pour les personnes qui m'aident
à me tourner vers toi,
à avancer.

Seigneur,
merci pour la joie
que j'essaie de donner à mon tour
pour multiplier les gestes de partage.

Seigneur, merci pour tout.

Merci.

Patrick (14 ans)

L'AMOUR

Ô Dieu, notre Père,
tu me donnes ton Esprit
pour m'aider à aimer.
Apprends-moi
à l'écouter
dans mon cœur.
Je te le demande.

Esprit Saint,
apprends-moi
à prier le Père
avec ferveur
et avec joie,
comme le faisait Jésus.

Seigneur,
tu es mon ami.
Tu me conduis
sur le chemin
de la maison de ton Père.
Je t'aime
et j'ai confiance en toi.

Seigneur, je te rends grâce,
car c'est toi qui me rends capable
d'aimer mes frères.

Amen.

Marie-Pierre (13 ans)

Paroles de Dieu

JE SUIS UN DIEU JEUNE

Jeune, réjouis-toi dans ton adolescence.
(Ecclésiaste 11, 9)

J'étais maître d'œuvre à ses côtés,
jouant sans cesse devant lui,
jouant sur le globe de la terre.
(Proverbes 8, 24)

Que personne ne méprise ta jeunesse.
(1 Timothée 4, 12)

Ta jeunesse se renouvelle
comme celle de l'aigle.
(Psaume 102, 5)

J'ai recherché la sagesse dès ma jeunesse.
(Sagesse 8, 2)

Laissez venir à moi les petits enfants...
car le Royaume de Dieu
est à ceux qui leur ressemblent.
(Luc 18, 16)

Tout ce que vous avez fait
au plus petit de mes frères,
c'est à moi que vous l'avez fait.
(Matthieu 25, 40)

Si quelqu'un est en Jésus Christ,
il est une créature nouvelle.
Le monde ancien s'en est allé,
un nouveau monde est déjà né.
(2 Corinthiens 5, 7)

Revêtez l'homme nouveau,
créé saint et juste, à l'image de Dieu.
(Éphésiens 4, 24)

Pour le Seigneur,
un jour est comme mille ans,
et mille ans comme un jour.
(2 Pierre 3, 8)

Sonia Péloquin

UN PASSEPORT POUR LA VIE

Prier,
c'est se tourner vers toi, Seigneur.
Ce n'est pas surtout
pour demander des choses
mais pour t'écouter,
comme ça...
Tu as tellement à me dire.

Te prier, Seigneur,
c'est comme un passeport
qui ouvre le chemin de la vie.
Je sais bien que ce n'est pas l'argent
qui nous ouvrira
le chemin qui mène à toi
mais c'est le cœur
simple et confiant,
rien que le cœur.

Danny (12 ans)

JE SUIS AMOUR

Tant de gens se posent cette question:
«Comment voir l'amour de Dieu
à travers toutes les misères que nous vivons?»

Je me la suis moi-même posé cette question
et voilà la réponse que j'ai reçue:
«Ouvre tes yeux et regarde autour de toi»

Le bruit des vagues de la mer
frappant un rocher,
ne te dit-il pas:
«Je suis Amour.»

Une plante qui grandit
sous la lumière du soleil,
ne te dit-elle pas:
«Je suis Amour.»

Un arbre d'automne
qui déploie un éventail de couleurs,
ne te dit-il pas:
«Je suis Amour.»

Un enfant qui fait ses premiers pas,
ne te dit-il pas:
«Je suis Amour.»

Un couple qui se promène,
main dans la main,
ne te dit-il pas:
«Je suis Amour.»

Une personne qui, après une peine,
retrouve le bonheur et la joie de vivre,
ne te dit-elle pas:
«Je suis Amour.»

Un sourire ou un merci,
ne te dit-il pas:
«Je suis Amour.»

Pour avoir vu toutes ces beautés,
alors moi, je te dis:
«Le Seigneur est Amour.»

Sophie (16 ans)

POUR L'AMOUR DES AUTRES, OUVRONS NOTRE CŒUR

Seigneur Jésus, tu nous as dit:
«Le plus grand commandement
que je vous laisse
est de vous aimer les uns les autres.»

Ouvrons donc notre cœur
de sorte que le monde vive dans l'amour.

Que celui qui se sent délaissé,
trouve, grâce à nous,
un réconfort.

Que celui qui se sent triste,
retrouve avec nous,
la gaieté.

Que celui qui se sent pauvre
retrouve, à cause de nous
toute la richesse dont il a besoin.

Que celui qui se sent mal-aimé
découvre en nous
un cœur aidant, aimant, confiant et fidèle.

Ainsi, c'est en partageant
la joie et le réconfort,
que chacun sentira en lui
la paix de Dieu.

Ouvrons notre cœur,
pour que tout le monde
vive ce partage d'amour.

Jocelyn (16 ans)

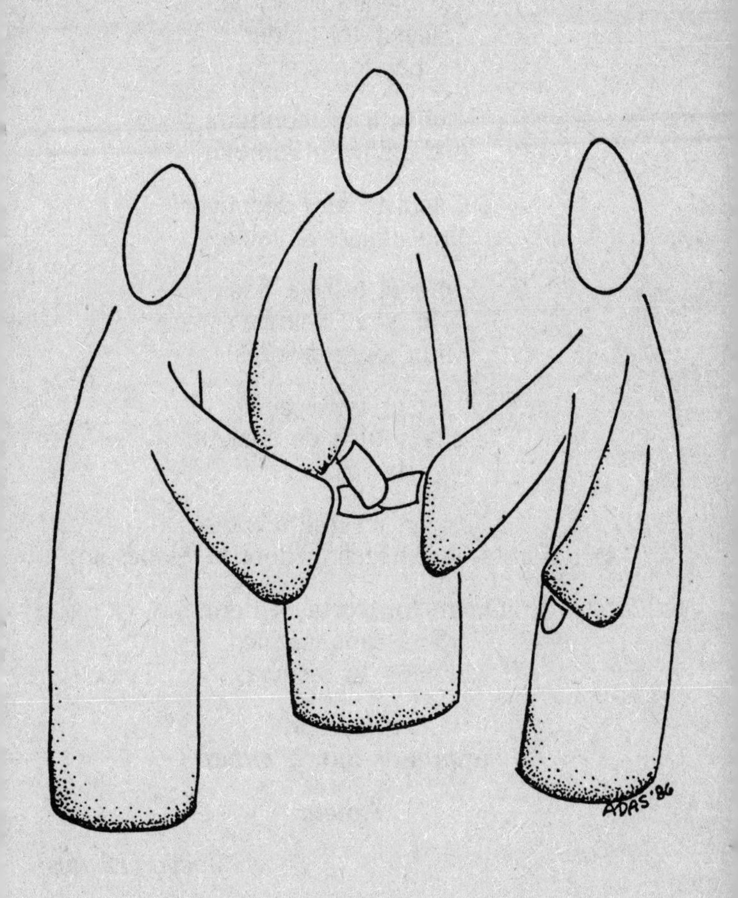

LA VÉRITÉ DE MON CŒUR

Le Seigneur me dit:
laisse-toi guider
par ton cœur.

Lui seul te montrera
le chemin de l'amour.

Lui seul te fera découvrir
une amitié véritable.

Lui seul te sera fidèle,
lui seul, t'aidera
aux jours difficiles.

Car ton cœur
est la source de chaleur
de l'univers.

C'est en lui que tu puises
la tendresse et l'affection dont tu as besoin.

Ouvre ton cœur et donne.
Sois sans crainte:
bientôt, tu recevras...

Seigneur,
apprends-moi à aimer.

Amen.

Joëlle (12 ans)

OUVRE TON CŒUR

Ouvre ton cœur à l'humanité,
sans être humilié
de ta foi.
C'est un don qu'il faut cultiver,
car c'est un magnifique cadeau
que Dieu t'a donné.

Ouvre ton cœur à la vérité:
c'est une manière juste de vivre
dans notre société.
Il faut la propager
pour ta franchise et ton amitié.
Écoute tes frères,
accepte-les, tels qu'ils sont
et non comme tu aimerais qu'ils soient,
dans ton imagination.

Ouvre ton cœur,
n'aie pas peur.
Dieu est toujours sur ton chemin,
pour t'aider lorsque des obstacles se présentent.
Il t'aime et te tend sa main.
Pourquoi, ne la prends-tu pas?

OUVRE GRAND TON CŒUR.

Lyne (15 ans)

COMMENT PARDONNER?

Seigneur,
il m'a fait si mal,
je ne pourrai jamais lui pardonner.

Quand je pense au tort qu'il m'a fait,
à ma réputation salie,
à ma santé compromise,
à mes amitiés éteintes,
j'enrage et j'en pleure.

J'ai au cœur de la rancune,
j'ai à la tête de l'amertume,
j'ai au poing de la vengeance.

Comment pourrais-je lui pardonner?
C'est si difficile.
Comment peux-tu me demander
de lui pardonner?

Viens à mon aide, Seigneur.
Je ne peux oublier la douleur qu'il m'a causée.
J'ai le cœur brisé, blessé, broyé.

Ramène la paix en moi,
calme la tempête.

Donne-moi un peu de ta miséricorde,
sans toi, je n'y arriverai jamais.

Nathalie (13 ans)

Paroles de Dieu

JE T'AI SAUVÉ

C'est moi, le Seigneur, votre Dieu;
c'est moi qui ai brisé
les barres de votre joug
et qui vous ai fait marcher la tête haute.
(Lévitique 26, 13)

Je suis le bon berger;
le bon berger donne sa vie
pour ses brebis.
(Jean 10, 11)

Ne crains pas car je t'ai racheté.
(Isaïe 43, 11)

Moi, c'est Yahvé.
En dehors de moi, il n'y a pas de sauveur.
(Isaïe 43, 11)

Ayez confiance,
je suis vainqueur du monde.
(Jean 16, 33)

Par la grâce vous êtes sauvés,
à cause de votre foi;
le salut ne vient pas de vous,
c'est le don de Dieu.
(Éphésiens 2, 8)

Moi non plus, je ne te condamne pas.
Va, désormais ne pèche plus.
(Jean 8, 11)

Venez à moi,
vous tous qui peinez
sous le poids du fardeau,
et moi je vous donnerai le repos.
(Matthieu 11, 28)

Soyez dans la joie et l'allégresse,
car votre récompense sera grande
dans les cieux.
(Matthieu 5, 12)

Heureux les doux:
ils obtiendront la terre promise.
(Matthieu 5, 4)

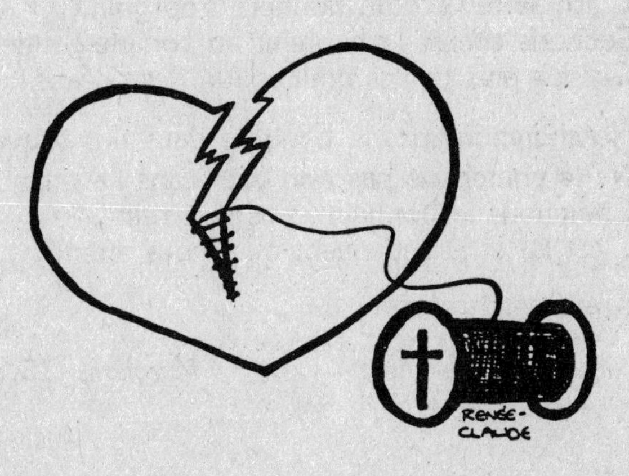

BONHEUR, OÙ ES-TU?

Si tu ne trouves pas le bonheur,
C'est peut-être que tu le cherches ailleurs.
Ailleurs que dans tes pensées...
Ailleurs que dans ton foyer.

Selon toi, les autres sont plus heureux,
Mais toi, tu ne vis pas chez eux...
Tu oublies que chacun a ses tracas,
Tu n'aimerais sûrement pas mieux d'autres embarras.

Comment peux-tu aimer la vie,
Si ton cœur est plein d'ennuis?
Si tu ne t'aimes pas,
Si tu ne t'acceptes pas?

Le plus grand obstacle, sans doute,
C'est de rêver d'un bonheur trop grand.
Sachons cueillir le bonheur au compte-gouttes,
Car les plus petites gouttes font les océans.

Ne cherchons pas le bonheur dans nos souvenirs;
Ne le cherchons pas non plus dans l'avenir.
Cherchons le bonheur dans le présent,
C'est là, et là seulement qu'il nous attend.

Amen.

Marylène (15 ans)

AS-TU TROUVÉ LE BONHEUR?

As-tu trouvé
le bonheur?

Ton bonheur,
l'as-tu trouvé
dans ton cœur?

Moi, j'ai trouvé
le bonheur
dans mon cœur.

**MON BONHEUR,
C'EST LE SEIGNEUR.**

Et vous, y a-t-il
dans vos cœurs
de la place
pour le Seigneur?

Sophie (12 ans)

LE BONHEUR

Seigneur,
Apprends-moi à être heureux.
Aide-moi à sourire aux indigents,
Même si c'est parfois exigeant.

Apprends-moi à aimer
Même mes ennemis.

Donne-moi la lumière
Qui me guidera dans le droit chemin.
Donne-moi la paix du cœur.

Aide-moi à respecter mes frères,
Ainsi que les beautés de la nature.
Aide-moi à réussir
Dans tout ce que j'entreprends
Et ce, pour mieux te servir.

Veille sur les pays sous-développés
Et sur ceux qui sont en guerre.
Aide-moi à penser à mon prochain.
Aide-moi à apprécier tout ce que j'ai,
Sans envier les autres.

Merci, Seigneur,
De m'avoir donné une famille unie,
Merci pour la santé dont je jouis,
Merci pour ce bonheur
Que tu m'offres à chaque jour.

Amen.

Dany (15 ans)

GUIDE-MOI

Seigneur,
guide-moi vers ma destinée,
pour que chaque jour
de mon existence,
soit pour moi
une promesse de vie nouvelle.

Yannick (12 ans)

UNE ÉPIDÉMIE DE BONHEUR

Depuis que j'ai ouvert mes yeux sur ce monde,
tu m'as aimée.
Tu m'as donné de bons parents
qui savent m'exprimer leur amour.
Tu m'as donné des amis,
et tout ce qu'il me faut
pour être pleinement heureuse.
Par-dessus tout, tu t'es donné à moi,
et c'est la chose la plus importante.

Quand je regarde à l'extérieur,
je te vois partout présent.
Je vois des oiseaux, des arbres en fleurs,
des gens heureux.
Malheureusement, je vois aussi la guerre,
des pleurs d'enfants, des lamentations.
Alors, cela m'attriste...
Mais, j'ai confiance en toi.
Alors, je ne me laisse pas abattre.

À partir de ce jour,
j'essaierai de semer le bonheur autour de moi.
C'est en commençant près de soi
que l'on fera se répandre le bonheur.
On appellera cela une «épidémie de bonheur».
On ne verra plus que des sourires,
des manifestations de joie.

Aide-moi, Jésus, dans mon entreprise.

JE T'AIME.

Annie (15 ans)

POURQUOI, MON DIEU?

Mon Dieu,
toi qui me combles de ton amour,
pourrais-tu me dire pourquoi?

Pourquoi suis-je égoïste?
Pourquoi suis-je portée à juger les autres?
Pourquoi est-ce que je n'arrive pas
à voir les belles choses que tu me donnes?

Pourquoi suis-je malheureuse?
Pourquoi suis-je méchante
envers mes frères et sœurs?
Pourquoi toutes ces mauvaises pensées
jaillissent-elles dans mon esprit?

Toi qui me donnes le soleil, comme un sourire,
l'eau, comme la vie,
la nourriture, comme l'esprit,
la pluie, comme les larmes.

Aide-moi à rejeter le mal,
aide-moi à ne pas l'exercer.
Aide-moi à répandre le bonheur autour de moi,
aide-moi à voir ta lumière et ta bonté.

Amen.

Karine (13 ans)

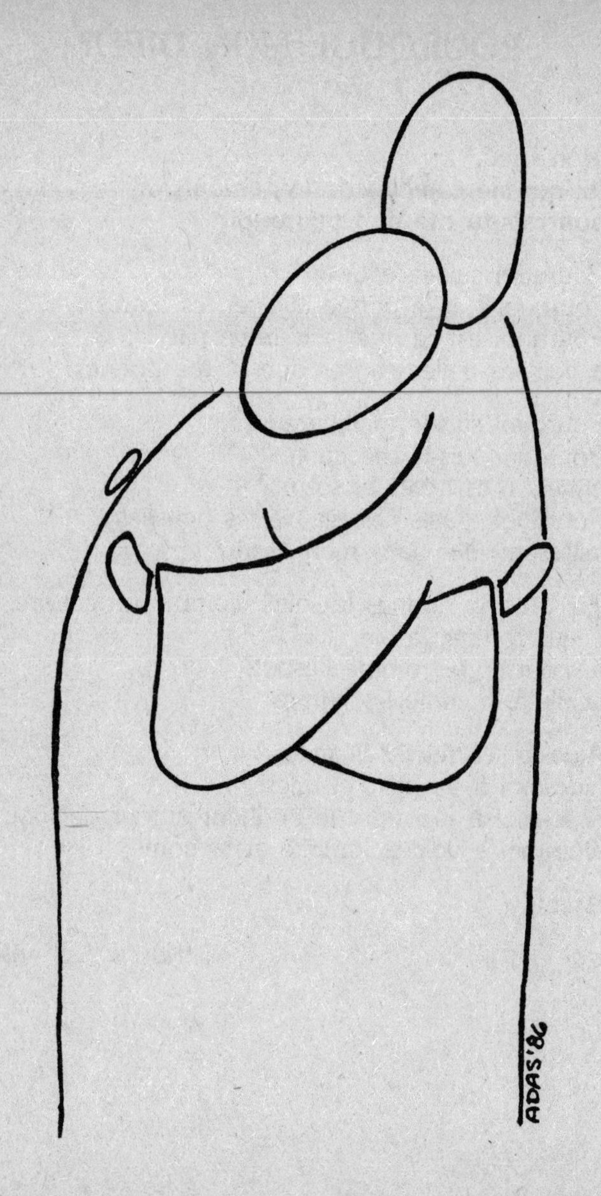
ADAS'86

LES AUTRES

Seigneur Jésus,
selon moi,
les gens devraient être comme des cadeaux.
Cependant, j'éprouve de la difficulté
à me tourner vers les marginaux de toutes sortes.

Les gens devraient regarder leur prochain,
comme l'enfant regarde un cadeau à Noël.
Il ne s'attarde pas à l'emballage.
Il va voir tout de suite ce qu'il y a à l'intérieur.

Seigneur Jésus, je te demande
de nous envoyer ton Esprit,
pour que nous soyons capables
de chercher les qualités et les richesses
qu'il y a dans le cœur de chacun,
sans nous attarder
à l'aspect physique de la personne.

Merci, Seigneur Jésus,
de ton aide précieuse,
de ton exemple si parfait:
toi, tu as aimé tout le monde
sans condition.

Apprends-nous à briser
les barrières de haine,
de jalousie, de suspicion, de rancune
pour découvrir le trésor enfoui.

Dominique (17 ans)

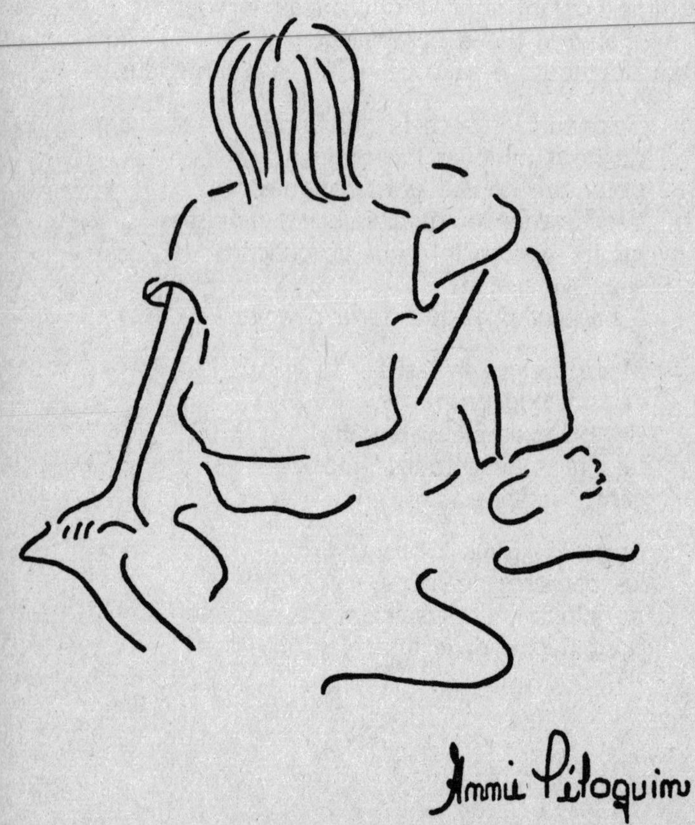
Annie Pitoquin

CHAPITRE III

SEIGNEUR, J'AI ESPOIR EN TOI

LES VACANCES

Souvent, pendant les vacances,
je ne prends pas le temps de te prier,
car d'avance,
j'ai planifié ma journée.

Quand vient le soir,
je suis trop fatiguée
et puis, je m'endors
sans te parler.

Alors, aux prochaines vacances,
aide-moi à penser
à te raconter ma journée.

Quand je lirai mon livre préféré
ou quand j'écouterai mon disque favori,
je penserai à te dire merci.

Car on te demande tout,
mais on oublie de te remercier
pour les belles choses que tu nous as données.

Seigneur, puissions-nous nous côtoyer
dans mes prochains congés,
et tout au long de l'année,
bâtissant ainsi une belle amitié.

Amen.

Maryse (14 ans)

AVEC DES YEUX PLEINS D'AMOUR

SEIGNEUR,
Dans le silence de ce jour naissant,
je viens te demander la paix,
la sagesse, la force.
Je veux aujourd'hui regarder le monde
avec des yeux tout remplis d'amour;
être patiente et compréhensive, douce et sage;
voir tes enfants au-delà des apparences,
comme tu les vois toi-même.
Et ainsi, ne voir que le bien en chacun.

Ferme mes oreilles à toute calomnie.
Garde ma langue de toute malveillance.
Que seules les pensées qui font grandir
demeurent en mon esprit.

Que je sois si bienveillante et si joyeuse,
que tous ceux qui m'approchent
sentent ta présence.

Revêts-moi de ta beauté, Seigneur,
et qu'au long de ce jour,
je te révèle aux autres.

Amen.

Sylvie (14 ans)

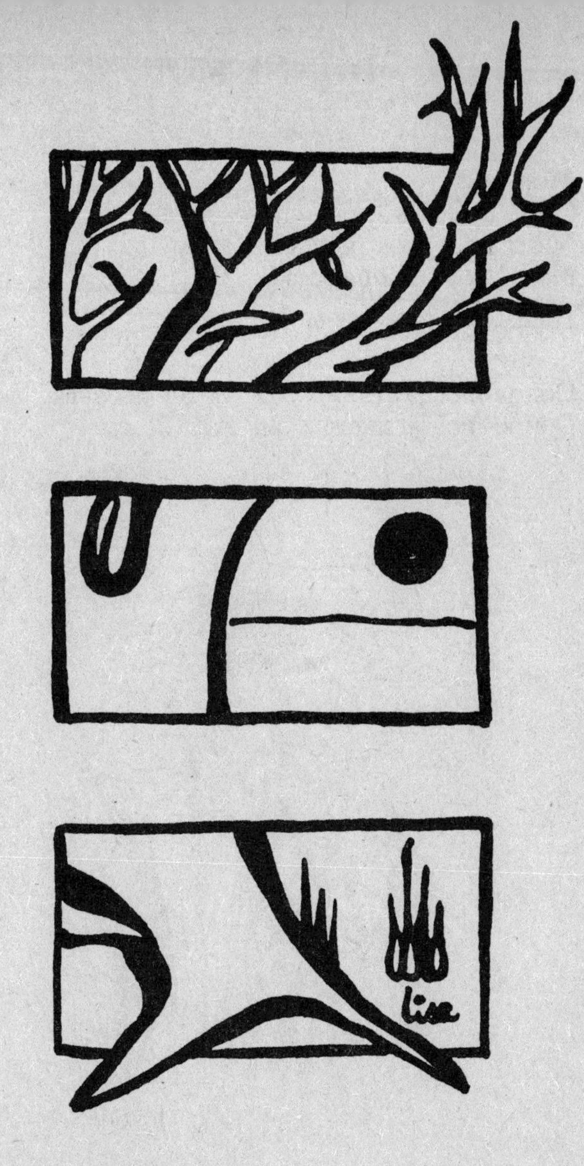
lise

DONNE-MOI

Mon Dieu,
Merci pour les belles choses créées,
Merci pour mes parents et amis,
Merci pour ce que je suis.

Donne-moi la force de marcher toujours plus loin,
Donne-moi le courage de relever les défis,
Donne-moi la sagesse qui vient de toi.

Éric (13 ans)

PRENDRE LE TEMPS

SEIGNEUR,
je ne te prie plus:
tu t'en es rendu compte
et bien avant moi.

> Je te donne de moins en moins de temps,
> car d'autres choses sont venues
> prendre la place.
> J'ai pris goût à l'argent, au plaisir,
> aux honneurs.
> Mon cœur s'est endurci:
> je pensais ne plus avoir de temps pour toi.

SEIGNEUR,
je ne suis pas très fière de moi.
Aide-moi
à retrouver le goût de toi.
Aide-moi à me trouver du temps
non seulement pour te prier,
mais aussi pour t'écouter.
Je ne l'avais peut-être pas remarqué,
mais tu manquais dans ma vie quotidienne.

Amen.

Marie-Claude (14 ans)

SEIGNEUR!

Seigneur,
toi qui es toute bonté,
fais-moi bonne.
Toi qui es lumière,
éclaire-moi.
Toi qui es source de vie,
fais-moi vivre.
Toi qui es source de bonheur,
rends-moi heureuse.

Car toi seul es capable d'apaiser
ma soif et ma faim.
Toi seul es capable
de redonner la vie
après la mort.

C'est toi qui guides mes pas.
C'est toi qui es la lumière éternelle
et qui diriges ma vie.
C'est toi, qui me demandes
d'aimer mon prochain comme moi-même.
C'est toi qui veilles sur mes jours.

Pour tout cela, Seigneur,
de tout cœur,
je te remercie.

Mélanie (13 ans)

LA VIE QUE TU M'AS DONNÉE

La vie que j'ai reçue
ne m'appartient pas.
Apprends-moi à vivre
un jour à la fois
en te faisant confiance.

Je voudrais tout faire
sans effort et profiter de tout.
Apprends-moi à vivre
patiemment les étapes de ma vie.

J'aimerais être pleinement heureux
et croire au bonheur.
Donne-moi la foi en toi
et le courage de répandre ton amour.

J'aimerais marcher à ta suite
et annoncer ta Bonne Nouvelle.
Donne-moi ton Esprit
qui me rendra audacieux
à ton service.

Stéphane (15 ans)

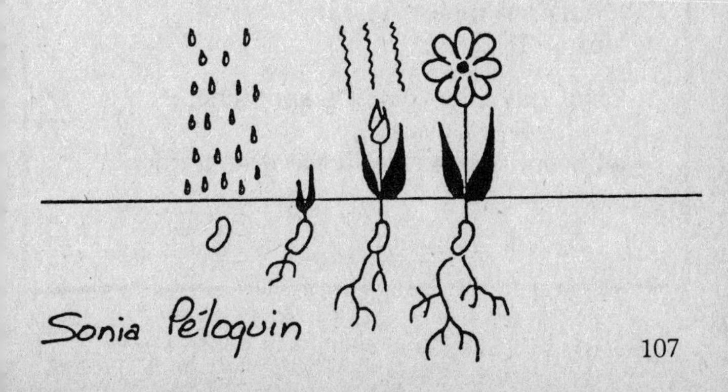

JE SUIS UN DIEU VIVANT

Il n'y a point d'autre Dieu que moi.
(Isaïe 45, 5)

Oui, toutes les vies sont à moi.
(Ézéchiel 18, 4)

Ne vous inquiétez pas pour votre vie
de ce que vous mangerez,
ni pour votre corps de quoi vous le vêtirez.
La vie n'est-elle pas plus que la nourriture,
et le corps plus que le vêtement.
(Matthieu 6, 25-28)

Je suis le pain de vie.
Qui vient à moi n'aura jamais faim;
qui croit en moi n'aura jamais soif.
(Jean 6, 35-36)

Moi, je suis la résurrection et la vie.
Celui qui croit en moi,
même s'il meurt, vivra.
(Jean 11, 25-26)

Celui qui a soif, qu'il s'approche;
celui qui le désire,
qu'il boive l'eau de la vie gratuitement.
(Actes 22, 17)

Vous vous êtes convertis à Dieu
en vous détournant des idoles
afin de servir le Dieu vivant et véritable.
(1 Thessaloniciens 1, 9)

Je suis le Premier et le Dernier,
je suis le Vivant;
j'étais mort,
mais me voici vivant pour les siècles.
(Actes 1, 17-18)

L'eau que je lui donnerai
deviendra en lui source jaillissante
pour la vie éternelle.
(Jean 4, 14)

Si tu savais le Don de Dieu.
(Jean 4, 10)

Moi, je suis venu pour qu'on ait la vie
et qu'on l'ait surabondante.
(Jean 10, 4)

JE SUIS EN JOIE, MAIS...

Bonjour, salut,
Seigneur Jésus!
Je suis dans la joie,
Grâce à toi.

Comment va Dieu,
Notre Père et le tien?
Comment va Marie?
Et l'Esprit Saint?

Je suis «Jeune du Monde»:
J'agis contre le racisme.
J'aimerais tellement que tout le monde,
Nous aide à faire justice.

J'agis aussi pour les droits de l'homme:
Ça demande de la détermination,
Mais avec l'aide de chaque personne,
Nous réussirons.

On dit que Dieu est amour.
Alors, pourquoi cette misère sur la terre?
Je ne comprends pas toujours.
Manquerions-nous de lumière?

J'ai confiance en toi,
Et j'ai la foi.
Tu es un Dieu de vie,
C'est la Vierge qui me l'a dit.

Je termine cette prière
Par un gros merci.
Car je vois un peu plus clair,
Et j'ai moins de soucis.

Josée (14 ans)

SEIGNEUR, JE TE PRIE

SEIGNEUR,
j'ai foi, foi en toi, Fils de Dieu.
Avant même notre naissance,
tu nous as choisis,
nous, simples chrétiens.
Nous disons ensemble notre foi,
ensemble nous te proclamons,
et te prions.

SEIGNEUR,
je te remercie pour la nature,
pour mes parents, pour mes amis.
Merci pour ta bonté,
pour ta justice, pour ta fidélité.

SEIGNEUR,
bénis notre Pape,
ceux que nous aimons
et ceux que nous n'aimons pas assez.
Aide ceux qui souffrent de la faim,
ceux qui sont malades,
tous ceux qui ont besoin de toi,
partout dans le monde.

SEIGNEUR,
tu es la lumière de mon cœur.
Où que je sois, tu es toujours avec moi.

SEIGNEUR,
tu es toujours le bienvenu
dans mon cœur.

Sophie (12 ans)

SEIGNEUR, J'AI BESOIN DE TOI

SEIGNEUR,
Je sais qu'il y a des jours où je t'oublie.
Mais je réalise alors
Qu'il manque quelque chose à ma vie,
Et c'est toi.

J'ai besoin de te parler.
Tous les soirs,
J'ai besoin de te confier
Mes peines
Et mes joies.

J'ai besoin de tes conseils;
J'ai besoin de te rendre grâce;
J'ai besoin de demander ton pardon.
Oui, Seigneur, j'ai besoin de toi.

À cause de toi, Seigneur,
Je pourrai à mon tour, pardonner,
Je pourrai à mon tour, aimer.

Garde-moi près de toi,
Tout au long de mon existence.
Tu m'es si précieux.

Amen.

Nancy (13 ans)

AIDE-LES

Mon Dieu,
Aide tous les pauvres de ce monde.
Il y a tant de souffrances
Chez les peuples du Tiers Monde.

Dans ton immense tendresse,
Comble-les de ton amour.

Mario (13 ans)

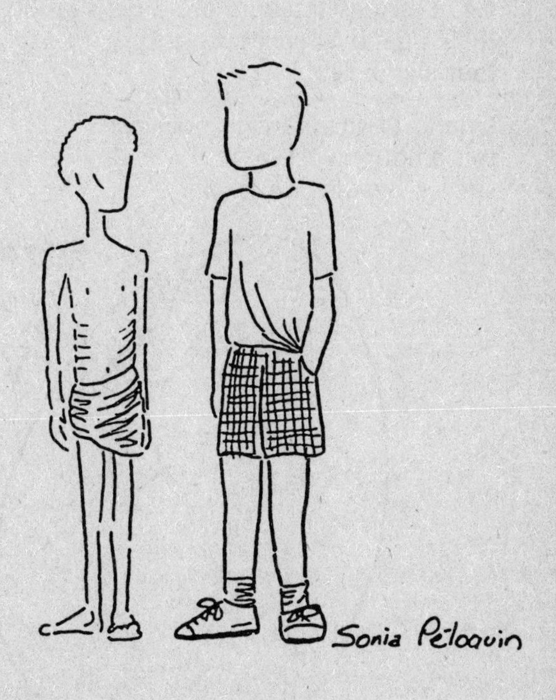

POUR COMPRENDRE

Seigneur,
depuis ma naissance, tu m'as aidé.
Tu l'as fait dans mes petites misères
et dans mes gros problèmes.

Le premier jour où j'ai entendu parler de toi
je n'ai pas tout compris.
Mais tu m'as aidé à comprendre,
à saisir le pourquoi des choses et de la vie.

Ce n'est pas toujours drôle dans la vie
mais quand je suis avec toi,
tout s'embellit.

Quand je suis dans la noirceur,
ton amour m'éclaire
sur les beautés de la vie.

Sylvain (13 ans)

TU ES CELUI EN QUI JE CROIS

Seigneur, tu es grand et le Très-Haut.
Tu es celui en qui je crois,
celui qui me procure les joies
qui remplissent le vide de mon cœur,
de ma vie.

Tu me laisses choisir mon chemin.
Je te demande de guider mes pas
vers toi,
vers ton amour.
Seulement toi sais ce qui me manque,
ce qui m'est nécessaire.
Alors, remplis mon âme
afin que je te connaisse davantage,
chaque jour.

Avec toi, je me sens transformée.
Je veux marcher avec toi,
afin que mon bonheur
ne prenne jamais fin.

Parfois, je semble t'oublier,
mais je reviens toujours vers toi.
Parce que tu es
celui en qui je crois.

Mariane (14 ans)

AMOUR ET CONFIANCE

Seigneur,
toi le Très-Haut,
le très Saint,
je t'aime.
Je veux te rendre grâce
et implorer tes faveurs.

Donne-moi la force d'aimer
ceux qui me font du mal.

Aide-moi à leur pardonner
et à leur apporter mon aide
lorsqu'ils sont dans le besoin.

Donne-moi le courage
de te prier tous les soirs
avec une même ferveur.
Aide-moi à surmonter les obstacles,
à aimer les gens malgré leurs défauts
et à prier pour eux.

Seigneur,
j'ai confiance
et je crois en toi.
Merci pour ton amour.

Amen.

Isabelle (12 ans)

J'AI BESOIN DE TOI

Salut, toi,
Roi de l'univers.
J'ai besoin de ton amour,
pour combattre la tristesse
qui m'envahit chaque jour.

J'ai besoin de ton courage,
j'ai besoin de ta joie;
j'ai besoin de ta présence
à mes côtés
chaque jour de ma vie.

J'ai besoin de te savoir toujours là,
toujours prêt à m'aider
quand viennent les moments difficiles.
J'ai besoin de ta force
pour combattre.

J'ai besoin de ta lumière
pour comprendre.

J'ai besoin de ta paix
pour faire taire la violence.

En résumé, Seigneur,
j'ai tout simplement besoin de toi...

Chantal (16 ans)

AIDE-MOI

Seigneur, aide-moi à persévérer,
dans la voie que j'ai choisie,
ta voie.

Aide-moi à grandir
dans la sagesse et la dignité.
Encourage-moi à me construire
un bonheur durable.

Sois toujours avec moi,
et je ne t'oublierai jamais!

Rosanne (13 ans)

Paroles de Dieu

JE SUIS AVEC TOI

Je mettrai ma demeure au milieu de vous.
(Lévitique 26, 11)

Je suis avec toi pour te libérer.
(Jérémie 1, 8)

Oui, le Seigneur est sorti devant toi.
(Juges 4, 14)

N'aie peur de personne,
je suis avec toi pour te libérer.
(Jérémie 1, 8)

Là, je te rencontrerai.
(Exode 25, 22)

Je veux que là où je suis,
eux aussi soient avec moi,
et qu'ils contemplent la gloire
que tu m'as donnée.
(Jean 17, 24)

Et moi, je suis avec vous tous les jours
jusqu'à la fin des temps.
(Matthieu 28, 20)

Je suis avec toi et voici le signe
que c'est moi qui t'ai envoyé.
(Exode 3, 12)

Demeurez en moi,
comme je demeure en vous.
(Jean 15, 4)

Je ne vous laisserez pas orphelins:
je reviendrai près de vous.
(Jean 14, 7)

Ne savez-vous pas
que vous êtes le temple de Dieu
et que l'Esprit de Dieu habite en vous?
(1 Corinthiens 3, 16)

Voici que je me tiens à la porte
et je frappe.
... je souperai avec toi.
(Apocalypse 3, 20)

Là où sont réunis deux ou trois
en mon nom,
je suis au milieu d'eux.
(Matthieu 18, 20)

L'ESPOIR

Seigneur, toi le Soleil vivant,
Éclaire mes jours
Pour que ta lumière
Puisse pénétrer dans mon cœur;
Pour que cette lumière
Envoie sur moi
Plein de tendresse;
Pour que je puisse
À mon tour
Réchauffer ceux qui ont froid
En ton absence.

Par cette lumière,
Envoie sur le monde
Un rayon de soleil
Qui fera jaillir
Des trésors de bonté.

Marie-Claude (12 ans)

UN MONDE JUSTE

Mon Dieu,
fais qu'un jour
la justice
soit maîtresse de ce monde.
Et que la liberté partout règne...

Catherine (14 ans)

TOI QUI ES SI BON

Seigneur Jésus,
toi qui es si bon,
tu as donné ta vie pour le monde.

Nous te remercions de tout cœur.

Soutiens-nous
pendant les périodes difficiles.

Quand nous manquons d'amour,
de respect pour les autres,
donne-nous le courage
de suivre ton exemple.

Fais que nous acceptions nos peines,
comme nous accueillons nos joies.

Aide-nous à prier chaque jour
comme des enfants de Dieu.

Amen.

Hélène (12 ans)

POUR TOI, SEIGNEUR

Toi qui nous as donné la vie
pour la faire croître,
fais que nous en usions bien.

Toi qui nous as donné l'amour
pour le partager,
suscite en nous la force de le faire fructifier.

Toi qui nous as donné la paix
pour vivre dans l'amitié,
aide-nous à devenir des artisans de paix.

Toi qui nous as donné la foi
pour nous épanouir pleinement,
dépose en nous le courage
de te faire connaître et aimer.

Toi qui nous as donné ton Fils Jésus
pour nous délivrer,
pardonne-nous pour le mal
que nous avons fait.

Éric (14 ans)

POURQUOI, SEIGNEUR, POURQUOI?

Pourquoi tant de guerres, tant de pleurs?
Pourquoi tant d'égoïsme et d'incompréhension?

Pourquoi un monde si bouleversé
qui peut se détruire plus de 16 fois?
La foi n'existe-t-elle plus auprès des dirigeants?
Pourquoi ne pas faire la paix tous ensemble?
Cela serait si simple et si bon.

Autour de moi, vivent des jeunes
si malheureux, rejetés, mal aimés,
qui n'ont plus de raison de vivre.
Seigneur, ces personnes te connaissent-elles?
Sont-elles conscientes que tu es là?
C'est la question que je me pose souvent,
chaque fois que je pense à tous ces gens,
chaque fois que je les vois.
Ces personnes auraient besoin
d'amour véritable,
mais elles ne prennent pas le bon moyen:
elles se droguent, elles boivent
pour oublier leurs problèmes,
mais elles ne font que s'en créer.

Moi, je sais qu'un jour
tu les sortiras de cet enfer,
mais ce que je trouve effroyable,
c'est qu'elles ne savent pas que tu es là.

Elles sont si négatives,
qu'elles ne s'attardent pas
à regarder autour d'elles
pour te voir
à travers ceux et celles qui peuvent les aider.

J'ai comme principe:
nous avons une vie à vivre, vivons-la à 100%.
Mais comment dire cela à ces personnes?
Toi seul peux leur faire réaliser,
le leur dire, le leur faire comprendre.

Tu as des voies bien spéciales.
Tu sais comment nous rejoindre
et je crois qu'un jour,
tu sauveras ces personnes du malheur.
Ne tarde pas trop, Seigneur.

Amen.

Marie-Line (15 ans)

ADAS '86

OUVRE NOS CŒURS

Seigneur, ouvre nos cœurs
Au bonheur que tu nous as promis.
Ne nous laisse pas dans le désespoir;
Guide-nous dans le noir.
Ne nous laisse pas tomber,
Mais viens plutôt nous sauver.

Seigneur, mène-nous sur le droit chemin:
Tu es le berger, nous sommes les brebis.
Nous avons foi en toi,
Nous t'aimons
Et nous t'adorons.

Quand nous sommes en difficulté,
Envoie-nous ton Esprit
Pour qu'il nous aide tout au long de notre vie.

Réunis-nous dans ton rêve d'amour
Et ce, pour toujours.
Réunis-nous aussi dans ta paix;
Nous connaîtrons ainsi un bonheur parfait.

Fais-nous vivre pour l'éternité
Et sans fin, nous pourrons te glorifier.

Martin (13 ans)

PRIÈRE

Mon Dieu, je ne te prie pas souvent,
mais aujourd'hui, écoute-moi, je t'en prie.
Pour commencer, je veux te remercier.
Tout ce que possède
spirituellement et physiquement,
je l'apprécie.
Je te remercie aussi pour mes bonnes amies,
pour mes frères et pour toute ma famille
que j'ai la chance d'avoir près de moi.

J'ai tout cela et bien plus,
mais j'ai encore besoin d'aide, de ton aide.
Souvent, je ne sais plus où j'en suis,
je ne sais plus pourquoi je vis.
J'ai des tas de problèmes.
Je ne comprends pas mes parents,
je trouve qu'ils n'ont jamais raison.
J'ai l'impression que je suis de trop partout.
J'ai l'impression que personne
n'est vraiment sincère avec moi.
Je ne suis pas la «star» que j'aimerais être.
C'est pour toutes ces raisons
que je te crie: «À l'aide!»

Mon Dieu, aide-moi à apprécier
toutes les petites choses de la vie,
ces petits bonheurs qui,
tous additionnés, deviennent un grand bonheur.
Aide-moi à traverser les épreuves,
Aide-moi à prendre les bonnes décisions.
Aide-moi à aimer le beau et le bon,
pour que je puisse rendre les autres heureux.

Ne me laisse jamais sur une défaite
et s'il en est ainsi,
aide-moi à surmonter les obstacles.

Une dernière chose que je te demande:
ne m'oublie pas et aime-moi!
Car tu sais que les fautes que je commets,
je les regretterai toujours.

Amen.

Brigitte (15 ans)

Paroles de Dieu

JE MARCHE AVEC TOI

Je t'instruirai,
je t'apprendrai la route à suivre;
les yeux sur toi, je serai ton conseil.
(Psaume 31, 8)

Jésus en personne s'approcha
et fit route avec eux.
(Luc 24, 15)

Je suis le Chemin, la Vérité et la Vie.
(Luc 14, 6)

Voici que j'envoie mon messager
en avant de toi
pour préparer ta route.
(Marc 1, 2)

J'ai prié pour toi,
afin que ta foi ne défaille pas.
(Luc 22, 32)

Voici que mon retour est proche.
Je suis l'Alpha et l'Oméga,
le Premier et le Dernier,
le Principe et la Fin.
(Apocalypse 22, 12-13)

Je marcherai au milieu de vous;
pour vous, je serai Dieu
et pour moi, vous serez le peuple.
(Lévitique 26, 12)

C'est moi qui te fais cheminer
sur le chemin que tu parcours.
(Isaïe 48, 17)

QUE FERIONS-NOUS SANS PARENTS?

Seigneur,
Merci de nous avoir donné
Une douce et gentille mère
Qui nous aime tendrement.
Elle sait comprendre
Et consoler,
Sourire et pardonner.

Seigneur,
Merci de nous avoir donné
Un père courageux
Qui travaille si fort
Pour nous apporter
Le pain quotidien.
Merci pour sa sérénité
Qui nous apporte
La sécurité.

Aide nos parents, Seigneur,
À faire grandir notre foi
Et à nous former,
Puisque c'est nous qui serons
Les hommes et les femmes de demain.

Merci, Seigneur,
Pour nos parents
Qui, chaque jour,
Te remplacent
Auprès de nous...

Amen.

Caroline (12 ans)

BIBIT

PRÈS DE TOI

Seigneur,
je suis triste aujourd'hui:
viens me consoler.

Tant de choses
me blessent le cœur:
écoute-moi, je t'en prie.

J'aimerais te partager
les secrets
qui habitent mon cœur troublé.

Veux-tu Seigneur
me combler de ta tendresse?
Cela me ferait
tellement de bien.

Je t'aime plus que tout.
Demeure avec moi.
Je suis si bien
quand tu es près de moi.

Jean-Sébastien (13 ans)

CHAPITRE IV

SEIGNEUR, JE VEUX VIVRE

NOUS AVONS BESOIN DE TA PROTECTION

Protège nos familles, Seigneur.
Elles portent les fruits d'où jaillira ta Parole.
Elles se font les témoins de ton amour.

Protège le père de famille, Seigneur,
lui qui va sur les routes,
soumis à de multiples dangers.
Il est forcé de voyager
malgré la glace qui recouvre les chemins,
malgré la pluie
qui ne semble pas vouloir s'arrêter,
malgré le soleil aveuglant,
malgré la brume et la nuit sombre.
Garde-le sous ta protection,
car, à la maison, femme et enfants
l'attendent impatiemment.

Protège la mère de famille, Seigneur,
car, jour et nuit, elle se dévoue
pour ses enfants malades, tristes ou effrayés.
Elle veille
à l'entretien de la maison et des vêtements.
Elle mijote de bons repas
tout en supervisant les devoirs des petits.
Son énergie semble inépuisable.

Protège les enfants, Seigneur.
Ils sont continuellement confrontés
aux dangers de la vie.
Garde-les loin des gens de mauvaise foi
et aide-les à être forts
devant les obstacles qu'ils auront à surmonter,
car père et mère ne pourraient vivre sans eux.

Protège-nous tous, Seigneur,
car père, mère et enfants,
nous avons besoin de toi.

Pascale (17 ans)

MERCI, MON DIEU

Merci, mon Dieu,
de m'avoir fait naître dans une famille unie.
Merci de m'avoir donné un père si bon,
un père qui ne boit pas, qui n'est pas agressif,
un père qui fait de son mieux
pour me rendre heureuse.

Merci de m'avoir donné une mère si dévouée,
une mère qui me donne
tout ce qui lui est possible de me donner:
son amour, ses soins,
sa compréhension, son expérience;
une mère qui me donne tout
sans rien demander en retour.

Merci de m'avoir donné trois frères
qui m'aiment beaucoup,
des frères qui me taquinent
pour me prouver leur affection,
des frères qui sont doux et travaillants,
des frères qui me protègent.

Merci de m'avoir permis
de connaître mes grands-parents.
Ils étaient tendres, généreux
et me gâtaient beaucoup.
Je ne les oublierai jamais.

Mon Dieu, je ne te remercie pas assez souvent
pour la chance que j'ai
d'avoir une si bonne famille
Aujourd'hui, je le réalise
et je te dis: merci, merci, merci.

Céline (16 ans)

MON DIEU, POURQUOI LA NUIT?

Mon Dieu, pourquoi la nuit?
Ne serait-ce pas pour que, le matin venu,
pleine de courage et d'espoir,
je me dise:
je recommence!

Hier a été mauvais,
aujourd'hui sera meilleur:
je recommence!

Hier, il y a eu dans ma vie
bien des lacunes,
bien des choses regrettables.
Aujourd'hui, malgré tout:
je recommence!

Recommencer à me faire bonne,
à me faire douce, à me faire humble.

Recommencer à m'oublier,
à me donner, à aider les autres,
à faire le bien autour de moi,
à garder dans mon esprit
les pensées qui bénissent,
recommencer toujours,
recommencer quand même...
Comme cela est beau!
Comme cela est grand!

Recommencer... Dis, mon Dieu,
n'est-ce pas pour cela que tu as fait la nuit?

Jocelyne (15 ans)

Paroles de Dieu

JE SUIS LA LUMIÈRE DU MONDE

De même, que votre lumière brille
aux yeux du monde,
pour qu'en voyant vos bonnes actions,
ils rendent gloire à votre Père
qui est aux cieux.
(Matthieu 5, 16)

Vous êtes la lumière du monde.
(Matthieu 5, 14)

Ce que je vous ai dit dans les ténèbres,
dites-le dans la lumière.
Et ce que je vous dis à l'oreille,
criez-le sur les toits.
(Matthieu 10, 26. 32)

Je suis venu jeter un feu sur la terre.
Ah! combien je voudrais le voir
déjà allumé.
(Luc 12, 49)

En effet,
vous êtes tous des fils de la lumière,
des fils du jour;
nous n'appartenons pas à la nuit
et aux ténèbres.
(1 Thessaloniciens 5, 4-5)

L'espérance ne trompe pas.
(Romains 5, 5)

Je suis la lumière du monde;
celui qui me suit
ne marchera pas dans les ténèbres,
mais il aura la lumière de la vie.
(Jean 8, 12)

Demandez et vous recevrez,
et votre joie sera parfaite.
(Jean 16, 24)

TU ES LÀ

Merci, mon Dieu,
merci de me donner cette chance
de pouvoir m'arrêter,
de faire ce temps de silence et de réflexion.

Dans le secret de cette nuit,
tu es là,
et j'ai besoin d'entendre ta voix,
de sentir ta présence,
de voir ta lumière qui guide mes pas
et éclaire la route de ma vie.
Dans les temps si durs,
j'ai besoin de ta protection,
de ton courage et de ton amitié.

Tu sais, tu seras toujours
le plus fidèle de mes amis.

Maintenant que le sommeil m'envahit,
je te dis: merci pour cette nuit,
car demain,
je recommence!

Chantal (17 ans)

BIBIT

POURQUOI C'EST MOI?

SEIGNEUR,
il y a beaucoup de jeunes en ce monde
qui souffrent de diverses infirmités,
de diverses maladies,
lesquelles sont cause
de grandes souffrances morales.

Nous ne comprenons pas
pourquoi il s'agit de nous,
pourquoi il s'agit de moi.

SEIGNEUR,
fais-moi comprendre
le sens de la souffrance,
le sens de la croix,

Permets que je guérisse,
si c'est ta sainte volonté.
Sinon, donne-moi la grâce
de tout supporter
avec le Christ.

Prends pitié de nous,
SEIGNEUR,
et viens au secours
des jeunes qui souffrent.

Amen.

Jocelyne (15 ans)

SEIGNEUR,
MA BOUÉE DE SAUVETAGE

Le poisson peut cacher sa peine
en allant déposer ses larmes
au plus profond des océans.

Le castor, lui,
les noiera dans les eaux de sa digue.

Mais l'enfant,
comment pourra-t-il démentir sa tristesse?

Seigneur,
je ne te demande pas
de m'offrir la planète du bonheur.
C'est à moi d'arranger ma vie
pour qu'elle soit heureuse.

Pourtant, accorde-moi une seule faveur:
aux moments les plus pénibles de ma vie,
sois ma bouée de sauvetage,
la brise légère qui suit la tempête,
l'arc-en-ciel après la pluie,
et surtout l'ami dont j'ai tant besoin.

Chantal (12 ans)

LA TRISTESSE

La tristesse,
On ne peut prévoir quand elle viendra.
Mais quand elle est là,
Elle se fait pénible.

La perte d'un ami,
D'un parent,
D'un animal,
D'un bien très précieux.

Une maladie qui se déclare tout à coup,
Un examen manqué,
Une chicane,
Un rien peut la provoquer.

Elle fait pleurer,
Mais aussi réfléchir:
Pourquoi est-ce arrivé?

La tristesse peut être brève
Et parfois de longue durée.

Mais une chose est sûre, Seigneur:
Il est toujours possible de s'en sortir.
Et quand on y parvient,
On découvre combien
Le bonheur est important.

Marie-Line (13 ans)

ADAS '86

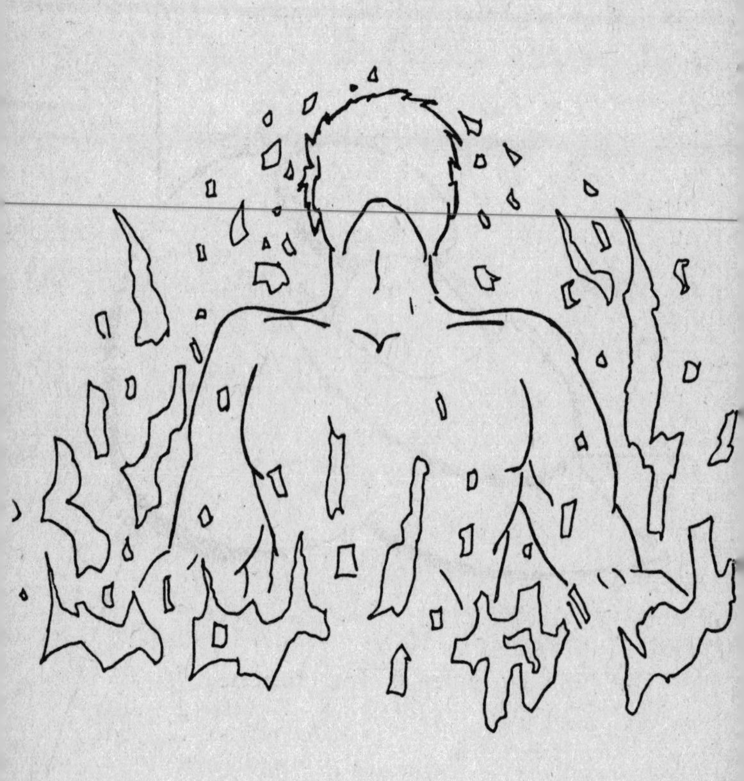

QUAND LA VIE NOUS BLESSE

Quand la vie nous blesse,
notre foi est ébranlée.
Si nous choisissons un autre chemin,
c'est toujours à ta recherche.

Quand la vie nous blesse,
le peu de croyance que nous avions
semble s'éteindre
Mais il reste encore une étincelle
que nous te prions de réveiller.

Quand la vie nous blesse,
nous sommes aveugles et égoïstes.
Nous ne voyons plus ces messages de tendresse
qui nous parviennent à travers les autres.

Quand la vie nous blesse,
nous nous sentons seuls, dans l'incertitude.
Nous ne pensons à toi qu'en dernier recours,
et c'est pour te demander
de venir à notre secours.

Si la vie nous blesse,
ce doit être pour trouver
ce que toujours nous avions cherché.

Dominique (15 ans)

PLUS LOIN QUE LE BOUT DE SON NEZ

Souvent, quand on trébuche,
on pleure pour une petite écorchure.
Pendant ce temps,
des gens souffrent atrocement
dans les hôpitaux.

Souvent, quand on oublie son «sandwich»
à la maison,
on se plaint.
Pendant ce temps,
des hommes et des femmes
crèvent de faim en Éthiopie.

Souvent, quand on parle de l'école,
c'est pour dire notre insatisfaction.
Pendant ce temps,
dans bien des pays,
des enfants sont illettrés.

Souvent, quand on nous sollicite
pour des œuvres de charité,
nous refusons de partager.

Alors Seigneur,

quand nous nous écorcherons un genou,
quand nous oublierons notre «sandwich»,
quand nous dirons que l'école, c'est ennuyeux,
quand nous répondrons «non»
à l'appel de nos frères,

aide-nous à penser
à tous ceux qui sont dans le besoin,
à voir plus loin que le bout de notre nez.

Patricia (12 ans)

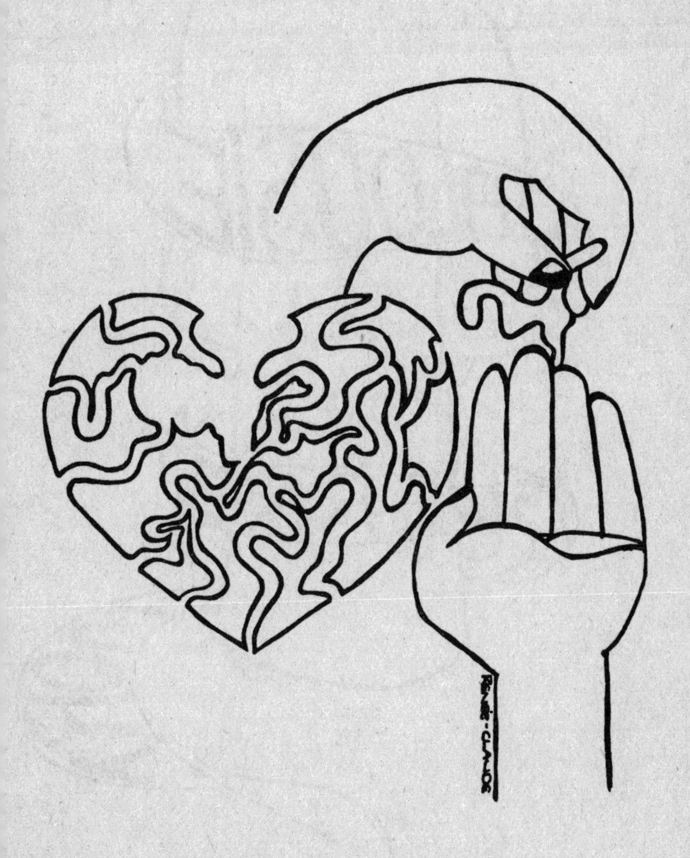

HAINE
JALOUSIE
GUERRE
MORT
ADAS '86

UN MONDE EN DÉTRESSE

Dans le monde, Seigneur,
Il y a des nations démunies,
Des jeunes qui s'engagent au combat
Mais qui ne reviennent pas.

Le principal jeu de notre société
Est de voler et de tuer.
Nous vivons aujourd'hui
Dans un monde de tricheries.

Tous les pays
Ont un grand ennemi:
Il se nomme la souffrance
Et il ne nous laisse aucune espérance.

Un de ceux qui n'ont pas eu de chance,
C'est l'Éthiopie où, par milliers,
Des jeunes meurent dans l'ignorance,
Sans même avoir de croyance.

Si je regarde dans mon milieu,
C'est tout de même mieux.
Mais comme partout ailleurs,
Ce n'est pas le parfait bonheur.

Jocelyn (17 ans)

OÙ ES-TU?

Seigneur, pourquoi y a-t-il tant de souffrances
dans le monde, dans mon cœur?
Tant de maladies, de meurtres,
de vols nous détruisent.
Autour de moi, je vois des gens
qui ne s'aiment plus,
qui se séparent, qui sont malheureux,
pauvres, affamés, sans abri,
maltraités, rejetés par la société
et qui noient leurs problèmes
dans la drogue et l'alcool.
Pourquoi, Seigneur?

Et moi, qui suis-je, où suis-je dans tout cela?
Comment puis-je, moi, jeune de seize ans,
grandir, m'épanouir, poursuivre ma route
devant cette triste réalité?
Ai-je ma place dans ce monde?

Toi seul peux m'aider
et répondre à toutes mes questions.
Seigneur, j'ai besoin de toi,
de ta force, de ton courage,
j'ai besoin de sentir ta présence rassurante
afin de ne point abandonner,
de ne pas laisser tout tomber:
mes projets, mes rêves, mes désirs, mon avenir.
Tout ceci m'est très cher, car c'est toute ma vie.
Mais qu'est-ce que tout cela
dans une société comme la nôtre
où tout n'est que richesses et pouvoir?

Où es-tu, Seigneur, parmi cela,
toi qui es ma lumière, mon guide?
J'ai de la difficulté à distinguer ton visage
tellement tout est noir autour de moi.
Oui, où es-tu, toi qui es
Amour, Respect, Pardon, Accueil,
Écoute, Compréhension, Partage?

Je t'en supplie, Seigneur, réponds à mon appel,
à ce cri de détresse lancé vers toi.
Oui, toi, qui es source de Vie,
redonne-moi ce goût de vivre, de foncer,
qui est propre à la jeunesse
et alors je saurai que tu auras répondu
à la question que je te pose aujourd'hui:
OÙ ES-TU?

Manon (16 ans)

MON AMI

Seigneur,
J'avais un grand ami...
Il avait 15 ans.

Il avait tout, ce gars!
Il était si gentil,
Il était si dynamique,
Il était si chaleureux.

Partout où il se trouvait,
Il mettait de la vie,
Tout en étant sérieux.

Seigneur,
Mon grand ami
Est parti te rejoindre,
Un mardi de novembre,
Il y a un mois...

Ça m'a d'abord fait très mal;
Je t'en ai voulu un peu.
Il était tellement jeune pour mourir.
Lui, plein d'avenir...

Seigneur,
Je voudrais que tu soutiennes
Les parents de mon ami
Son frère, sa sœur
Ses nombreux amis.
Allège leur chagrin.

Je voudrais aussi
Que tu aides tous les gens
À qui arrivent ces choses malheureuses...
Je sais qu'ils peuvent te faire confiance
Car moi, je l'ai fait.

Et là vraiment,
J'ai vu combien tu m'aimais.
Et je sais que mon ami et toi, Seigneur,
Vous êtes toujours avec nous.
Merci beaucoup!

Isabelle (15 ans)

LA MORT

Je te prie, Seigneur,
pour tous ceux
qui sont dans la souffrance
mais qui gardent l'espérance
de revoir parents et amis
qui sont partis.

Parfois on les oublie,
on continue notre vie.
Mais au fond de notre cœur,
on entend encore des pleurs.

Car ceux qu'on aimait
sont partis à jamais.

Ils nous laissent dans la tristesse
mais nous avons la promesse
que nous les reverrons un jour
et qu'alors
ce sera pour toujours.

Amen.

Sébastien (13 ans)

LA PERTE D'UN AMI

Mon ami avait peur de l'avenir.
Il n'avait plus le courage d'y faire face.
Il s'est suicidé...

Pourquoi? Jamais nul ne le saura
car il emporte son secret avec lui.

Je sais que là-haut, c'est un monde nouveau.
Il nous regarde en essayant de nous consoler,
tout en sachant qu'au fil du temps
des amis vont l'oublier.

Rien ne sera pareil
maintenant qu'il est passé du côté du soleil.
Ne plus lui parler, le voir ni le toucher;
ce sera dur de ne pas pleurer.

Cet air d'été ne sera plus léger
même si au fond de nous,
nous gardons l'espoir qu'il sera enfin heureux.

Que sa souffrance soit apaisée
pour qu'enfin sa vie soit éternelle.
Il ne nous reste plus qu'à oublier
en versant les larmes qui, peu à peu,
nous apporteront un souffle de souvenirs.

Nul n'y peut rien.
J'ai grand besoin de toi, Seigneur.
Je te remercie de ta présence dans ma vie...
Ne m'abandonne pas...
J'ai besoin de toi, Seigneur...

Pascale (16 ans)

CONFIANCE EN TOI

Tu sais, Seigneur,
ce n'est pas toujours facile d'être jeune.
La jeunesse d'aujourd'hui
connaît plus que sa part
d'ennuis et de déceptions.

Heureusement, il y a une personne
sur qui nous pouvons nous appuyer
si nous trébuchons.

Qu'il fasse tempête ou un soleil radieux,
cette personne est toujours là
pour nous offrir un refuge.

Cette personne, c'est toi, Seigneur.
Nous savons que tu nous aimes tous;
mais certains paraissent l'ignorer
et c'est malheureux.

Beaucoup de jeunes, aujourd'hui,
semblent te délaisser
pour aller vers d'autres sources de bonheur,
mais si éphémères, celles-là
et souvent c'est parce qu'ils se sentent
SEULS et sans amis.
Pourtant, tu ne demandes pas mieux
que de leur apporter ton affection.

Envoie donc ton Esprit, Seigneur.
Viens nous éclairer, nous les jeunes,
et ramène à toi toutes les jeunes brebis égarées.

Louis (15 ans)

POUR TOI
QUI ES UN JEUNE DU MONDE

Seigneur,
Mets la paix en nous,
Nous, les jeunes du monde.

Ouvre nos cœurs
Afin que nous soyons attentifs
Aux besoins de nos frères et sœurs de l'univers.
Qu'ils soient noirs ou blancs,
Riches ou pauvres,
Aide-nous, Seigneur,
À aller au-delà des différences.

Aide les jeunes qui sont sans travail.
Qu'ils trouvent le courage
Et la ténacité nécessaires
Pour accomplir leurs démarches.

Seigneur,
Bénis tous les jeunes
Et couvre-les de ta protection.
Donne-leur le goût
De s'accrocher à la vie,
Et ce, tout au long de leur existence.

Amen.

Marie-Josée (12 ans)

MON DIEU

Nous vivons dans un monde difficile.
Tous les jours, nous rencontrons la souffrance.
Nous avons parfois de la difficulté à l'accepter.

Donne-moi la force de dire oui.

Éric (13 ans)

CE QUE NOUS SOMMES

Quand j'étais toute petite,
Quelquefois, je récitais
Les prières bibliques
Que l'on m'enseignait.

À présent que je suis grande,
Je peux te dire ce que je ressens
Et je suis capable de comprendre
Ce qu'est le monde maintenant.

Tu veux à tout prix notre bonheur
Mais nous n'acceptons pas toujours le don de ton cœur.

Ce cœur qui veut nous aimer
Et nous aider dans nos difficultés.

Nous voulons être les meilleurs
Et ainsi posséder l'infini.
Mais pour entrer dans ta demeure,
Il faut que nous changions notre vie.

Nous voulons faire autrement
Que ce que tu nous apprends.
Nous voulons souvent nous vanter
De ce que nous n'avons pas mérité.

Mais maintenant que j'ai compris,
Tout ceci sera désormais fini.
J'apprendrai à aimer
Et aussi à partager.

Maud (15 ans)

Nathalie St-Pierre '85

SEIGNEUR, SAUVE-LA

Le monde est une boule de cristal
prête à voler en éclat à tout instant.
Nous, les jeunes générations,
avons besoin de ton soutien.

Nous tenons cette boule entre nos mains.
Nous devons la garder intacte.

Nous pouvons faire naître,
grâce à notre foi en toi,
Dieu, notre Père,
l'amour et la paix.

Eh bien, travaillons ensemble.
Nous pouvons, éclairés par l'Esprit,
mettre fin à la guerre, à la haine,
à la discorde et à l'égoïsme.

Oui, nous le pouvons, avec ton aide.
Parce que toi, Dieu, notre Père tout-puissant,
tu nous as créés
pour vivre en relation avec ton Amour infini.

Si nous ouvrons nos cœurs à ta Parole,
Nous pouvons empêcher
que notre terre éclate.

Ton rêve serait enfin réalisé,
ce rêve
de réunir tous les humains dans l'amour.

Amen.

Isabelle (14 ans)

JE T'ENVOIE AU CŒUR DU MONDE

Je vais envoyer un ange devant toi,
pour te garder en chemin
et te faire entrer
dans le lieu que je t'ai préparé.
(Exode 23, 20)

Ne dis pas: Je suis trop jeune.
Partout où je t'envoie, tu y vas;
tout ce que je te commande, tu le dis;
n'aie pas peur de personne.
(Jérémie 1, 7-8)

Ainsi je mets mes paroles en ta bouche.
Sache que je te donne aujourd'hui autorité
sur les nations et sur les royaumes.
(Jérémie 1, 10)

Allez rapporter à Jean
ce que vous entendez et voyez:
les aveugles voient
et les boiteux marchent,
les lépreux sont guéris
et les sourds entendent,
les morts ressuscitent
et la Bonne Nouvelle
est annoncée aux pauvres.
(Matthieu 11, 4-5)

Pars de ton pays, de ta famille
et de la maison de ton père
vers le pays que je te ferai voir.
(Exode 12, 1)

La paix soit avec vous.
Comme le Père m'a envoyé,
à mon tour je vous envoie.
(Jean 20, 21)

La gloire de mon Père,
c'est que vous donniez beaucoup de fruit.
(Jean 15, 8)

Soyez parfaits,
comme votre Père céleste est parfait.
(Matthieu 5, 48)

Veillez donc,
car vous ne savez pas
quand le maître de la maison va revenir.
(Marc 13, 35)

Ne rougis donc pas du témoignage
à rendre à notre Seigneur.
(2 Timothée 1, 8)

Vous êtes le sel de la terre.
(Matthieu 5, 13)

Le Saint-Esprit vous revêtira de force
et vous serez mes témoins
jusqu'aux extrémités de la terre.
(Actes 1, 8)

L'AVENIR

Seigneur,

J'ai peur de l'avenir.
Je ne sais vraiment pas ce qui m'attend:
La pauvreté, la misère peut-être,
Ou la richesse, la prospérité...
Je ne sais vraiment pas.

Toi, Seigneur, tu le sais sûrement.
Pourquoi ne me le dis-tu pas?
Ça me concerne autant que toi.
Mais nul doute que si je le savais,
Je serais malheureuse bien avant d'en arriver là.

Tu as raison, Seigneur,
Il faut vivre au jour le jour,
Malgré la peur et la souffrance,
Même si c'est difficile.

J'aimerais tant changer le monde,
Mais seule, j'en suis incapable.
Avec toi, c'est sûrement possible.
J'aimerais qu'il n'y ait plus de guerre,
Plus de haine entre les peuples.

Mais avant de vouloir
Ramener la paix dans le monde,
Il faudrait penser à faire la paix
Avec nos amis, avec nos parents
Et aimer tous ceux qui nous entourent,
Du moins, essayer...

Seigneur, je te demande de me protéger
Et de me guider sur le chemin
Qu'il me reste à parcourir,
Parce que sans toi,
Je ne suis rien.

Amen.

Sylvie (14 ans)

L'AVENIR, Ô MON DIEU!

L'avenir, ô mon Dieu!
L'avenir me tient à cœur.
Il n'est pas si lointain.
J'avoue que je me sens insécure:
j'ai peur.

L'avenir, ô mon Dieu!
Est-ce ce monde de guerre, de violence?
Pourtant, tu aurais aimé
un monde d'amour, d'espérance.

L'avenir, ô mon Dieu!
Toute seule, je n'y arriverai point.
Mais avec mes frères et sœurs,
je suis certaine d'être sur le bon chemin.

L'avenir, ô mon Dieu!
C'est moi, adolescente,
qui dis parfois des paroles blessantes,
car je me sens seule et je te cherche.

L'avenir, ô mon Dieu!
J'espère que ce sera un monde
de tendresse et de caresses,
pour qu'à chaque soir, je puisse
m'endormir au creux de tes bras.

Isabelle (15 ans)

LE CAUCHEMAR

La guerre,
un mot effroyable.
À quoi ça sert
ce cauchemar interminable?

Seigneur,
des gens meurent...
Ils n'ont rien fait pour ça,
sauf qu'ils se trouvaient là
où il ne fallait pas.

Seigneur,
pourquoi les gens veulent-ils
tout se procurer?
Ils vont même jusqu'à prendre
des vies humaines.
Ils veulent tout garder entre leurs mains.

Seigneur,
aide-nous à comprendre
ce que sont devenus
les hommes de notre temps.
Aide-nous à les rendre
bons et intéressants.

Seigneur,
je sais que tu ne peux changer les gens
car tu laisses libre le monde entier.
Mais aide-nous:
nous allons essayer de le transformer...

Annick (14 ans)

IRAN
+
IRAK
Pour la Vie!

LA PAIX

Seigneur,
il y a dans le monde
beaucoup de guerres,
beaucoup de batailles.

À chaque jour,
il y a de nombreux morts
et encore plus de blessés.
Les gens s'entretuent,
au lieu de faire la paix.

J'aimerais
que tout cela cesse.
J'aimerais qu'il n'y ait plus de haine,
plus de violence.

Ainsi,
il y aurait moins de tristesse,
moins de cœurs affligés.

Seigneur,
aide-nous à ramener la paix.

Si tout le monde
mettait autant d'énergie et d'argent
pour faire la paix
qu'ils en mettent pour détruire,
on serait très heureux.
Amen.

Marie-Josée (14 ans)

Y A-T-IL UNE SOLUTION?

Pourquoi la guerre? Pourquoi la haine?
Puisque Dieu nous a créés à son image.
Alors comment se fait-il qu'il y ait
des hommes qui se battent?
L'harmonie, l'amour
c'est tellement plus beau.

Si jamais des extra-terrestres
venaient sur terre,
que penseraient-ils
de nos disputes, de nos guerres, de nos bombes
et de tous ceux qui ne s'aiment pas?

Seigneur,
envoie-nous des milliers de colombes
qui se feront messagères de paix.
Aide-nous à nous entendre,
à ne plus nous disputer,
à nous aimer les uns les autres
comme tu nous l'as appris.

Ce rêve peut-il devenir réalité?
Peut-être que oui,
si chacun y met du sien.
Peut-être réussirons-nous.
Ce serait tellement bien.
Seul toi, peux nous aider, Seigneur.

Nous avons besoin de toi...
pour survivre.

Julie (14 ans)

PAIX

UNE GOUTTE D'EAU

Pourquoi les hommes font-ils la guerre
puisqu'ils disent préférer l'amour?

Je sais, Seigneur, qu'un jour
le genre humain t'oubliera,
mais par pitié, toi, ne nous oublie pas...

Il viendra bientôt ce jour
où nous préférerons la haine,
où personne n'aura plus de pitié,
où chacun sera orgueilleux, jaloux,
plein de méchanceté...

Ce que j'espère Seigneur,
c'est que, en ce temps-là,
tu me transformeras en goutte d'eau
car comme cela,
la cruauté,
je ne la verrai absolument pas...

En attendant cet événement,
purifie mon cœur,
débarrasse mon âme de toute saleté
pour que je profite mieux
de cette vie que tu me donnes.

Aide-moi à suivre le chemin
qui mène au bonheur éternel...

Amen.

Luce (13 ans)

UN CRI DU CŒUR

Dis-moi, Seigneur,
oui, explique-moi
pourquoi la misère existe en ce monde?
En avons-nous vraiment besoin?

Dis-moi, Seigneur,
oui, explique-moi
pourquoi la violence
nous envahit-elle à chaque jour?
Nous est-elle vraiment nécessaire?

Dis-moi, Seigneur,
oui, explique-moi
pourquoi ne vivons-nous pas
simplement d'amour?
La vie serait si belle,
le monde serait si bien.

Dis-moi, Seigneur,
oui, explique-moi
pourquoi ne nous donnes-tu pas
le courage de résister
à l'influence des méchants?

Dis-moi, Seigneur,
oui, explique-moi...

Geneviève (14 ans)

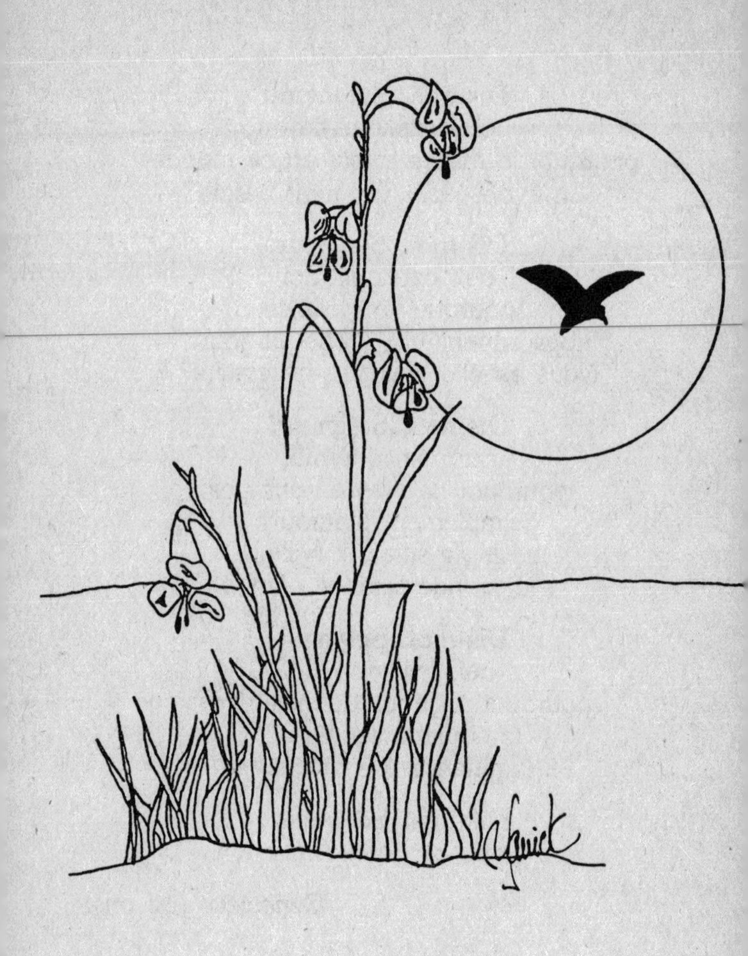

UN ESPACE POUR TOI

Nous avons réservé un espace pour toi. Prends le temps d'y mettre tes plus belles créations ou des paroles qui t'inspirent.

SI LE CŒUR T'EN DIT...

Ce recueil de prières a été préparé spécialement pour les jeunes. Il n'est pas facile de trouver les mots justes pour parler au Seigneur. Puisse ce recueil de prières, jeune lecteur ou lectrice, t'aider à te rapprocher de Dieu, à communiquer avec Celui qui t'aime depuis toujours.

Nous accepterions bien volontiers de recevoir les lettres de ceux et celles qui aimeraient échanger leurs impressions ou dire leurs sentiments à la suite de l'utilisation de ce livre.

Si le cœur t'en dit..., tu peux écrire à:

«Bonjour Seigneur!»
NOVALIS, Université Saint-Paul
223, rue Main
OTTAWA
K1S 1C4

Remerciements

Ces pages ont été réalisées par des jeunes de 12-20 ans du diocèse de Saint-Hyacinthe. Nous remercions les nombreux jeunes qui ont participé à ce projet de foi. Un merci spécial au Comité de jeunes qui a vu à la sélection des textes et à l'illustration de ce recueil.

TABLE DES MATIÈRES

Chapitre III
SEIGNEUR, J'AI ESPOIR EN TOI! **99**

Chapitre IV

Paroles de Dieu

Soyez toujours joyeux
dans le Seigneur.
Je vous le répète,
soyez joyeux!
Votre sérénité dans la vie
doit frapper
tous les regards.

(Saint Paul, Lettre aux Philippiens 4, 4)